Cupidon à Wall Street

Pierre-Luc Poulin

Auteur du *Banquier philosophe*

Cupidon à Wall Street

**Quand l'obsession du matériel
fait perdre de vue l'essentiel...**

**Sous la direction de
Christine Michaud**

UN MONDE ✖ DIFFÉRENT

Catalogage avant publication de Bibliothèque et Archives Canada

Poulin, Pierre-Luc, 1962-

    Cupidon à Wall Street. Quand l'obsession du matériel fait perdre de vue l'essentiel...

    (Collection Romans d'inspiration)

    ISBN 2-89225-584-8

    I. Titre. II. Collection.

PS8631.I25C86 2005   C843'.6   C2004-942006-2
PS9631.I25C86 2005

LES ÉDITIONS UN MONDE DIFFÉRENT LTÉE
3925, boul. Grande-Allée
Saint-Hubert (Québec) Canada J4T 2V8
Tél. : (450) 656-2660
Téléc. : (450) 445-9098
Site Internet : http://www.umd.ca
Courriel : info@umd.ca

© Tous droits réservés, Pierre-Luc Poulin, 2005
© Les éditions Un monde différent ltée, 2005
Pour l'édition en langue française
Dépôts légaux : 1er trimestre 2005
Bibliothèque nationale du Québec
Bibliothèque nationale du Canada
Bibliothèque nationale de France

Conception graphique de la couverture :
OLIVIER LASSER

Photocomposition et mise en pages :
ANDRÉA JOSEPH [PageXpress]

Typographie : Janson Text corps 12 sur 15

ISBN 2-89225-584-8

Nous reconnaissons l'aide financière du gouvernement du Canada par l'entremise du Programme d'Aide au Développement de l'Édition (PADIÉ) pour nos activités d'édition.

Gouvernement du Québec – Programme de crédit d'impôt pour l'édition de livres – Gestion SODEC.

Gouvernement du Québec – Programme d'aide à l'édition de la SODEC.

Imprimé au Canada

À Élodie et à tous ces petits anges qui passent dans notre vie quelques trop brefs instants, nous transformant à tout jamais...

À ses parents et à tous ceux qui ont perdu un être cher, et qui ne craignent pas d'aimer à nouveau...

À tous ceux qui sont enfermés dans leur coffre-fort intérieur, puissiez-vous trouver la clé qui nous permettra de vous découvrir et de vous apprécier à votre juste valeur...

Table des matières

Le royaume
des nouveaux dieux

Vu de très loin, tout semblait calme. Lorsqu'on s'approchait, le mouvement devenait perceptible. L'ombre et la lumière définissaient de mieux en mieux les contours. Grondements, bruits, tumulte, cris émergeaient de cette jungle. Chaque vie, chaque être coexistant, conscient de sa précarité. Prédateurs et proies se côtoyaient, s'évitaient et jouaient leur rôle... les uns prenant, les autres donnant.

Et le rythme. Tout a un rythme. Bruit, foule, jungle urbaine constituée de millions d'individus se battant pour des milliards en jeu. Une lutte sans merci faisait rage entre les individus et les sociétés pour accroître leur richesse.

Les dieux avaient bien changé depuis les mythologies anciennes. Jupiter, Apollon et Vénus avaient cédé leurs places aux gourous de la finance, aux compagnies milliardaires, aux étoiles montantes des superpuissants de ce monde.

Les feux de la rampe illuminaient de nouveaux visages. Ces dieux naissants devaient être riches et célèbres, et Wall Street, l'endroit d'où émergeait toute cette nouvelle «énergie divine», révélait en soi le côté plus hermétique de cette enclave.

Si vous aviez eu le vertige, vous n'auriez pas pu regarder par cette fenêtre. Pas à cette hauteur. La vue était plongeante. Il y avait déjà un bouchon de circulation. Les rues n'étaient désormais plus désertes... au fait, l'avaient-elles été un jour?

Si vous aviez été insomniaque, vous auriez entendu et vu bien des choses pendant la nuit. Si vous aviez aimé le beau, le luxe, l'excentrique, vous auriez aimé cette ville, vous l'auriez appréciée.

Excès et manque. Richesse et pauvreté. Ombre et lumière. Passion et apathie. Ambition et résignation. Le futur est-il déterminé, ou sommes-nous maîtres de notre destinée?

Dans une tour à bureaux comme il y en avait des dizaines, faites de béton armé, d'allure impersonnelle et froide, un individu tentait de se distinguer, de s'illustrer. Une goutte d'eau dans un océan humain. Une molécule insignifiante à l'échelle planétaire... et pourtant...

Chapitre 1

Une molécule tente de faire une différence

Christopher aimait le café. Expresso, allongé, moka, chino, capuccino. Il aimait les essayer, les goûter, humer leur arôme. Son premier café du matin était pour lui une occasion de renaissance. Le monde était à ses pieds lorsqu'il prenait sa première gorgée. Ah! cette caféine! Mais que faisait donc l'homme avant de connaître cette douceur, cette drogue si légale et si douce?

À son nectar matinal, il joignait son quotidien préféré: le *Wall Street Journal*, quoi d'autre? Il lui fallait ingurgiter des pages et des pages de données. Il était branché sur un monde vivant, grouillant de possibilités. Il se plaisait à imaginer qu'un jour, il serait en première page du *Journal*, qu'un jour, on le reconnaîtrait. Il n'avait pas complètement tort…

Il faisait partie de cette nouvelle race hybride de travailleurs hyper performants qui peuvent effectuer

10 tâches presque simultanément. Il étudiait, il travaillait et il réussirait :

« Si je rajuste le rendement espéré en tenant compte du coefficient de risque bêta global du portefeuille, j'obtiendrai donc...

– Un mal de tête carabiné, mon vieux ! lui envoya Jack arrivant dans son bureau à l'improviste, comme il aimait le faire.

– Jack ! Tu m'as encore fait le coup ! Je t'ai dit de ne pas me faire sursauter comme ça. Tu vas finir par me provoquer un arrêt cardiaque ! répliqua Christopher.

– Tu n'es pas le seul qui entre tôt au bureau, mon vieux. Les décrocheurs comme moi doivent travailler très fort même si ce n'est pas pour obtenir le titre de CFA[1].

– En attendant, le futur CFA doit se creuser le ciboulot s'il ne veut pas rater l'examen final.

– Tu en es déjà rendu à ton troisième examen ?

– Oui. Ça va plus vite que ça en a l'air quand on passe tout son temps à étudier et à bosser comme un dingue ! »

Christopher étudiait jour après jour, trois heures durant, en plus du boulot qu'il accomplissait chez

---

1. Charter Financial Analyst : Analyste financier agréé.

Reckford, Bryler & Carter. Son rêve étant de devenir le meilleur courtier du bureau, il donnait l'assaut en vue de pouvoir accoler enfin ces lettres prestigieuses à son nom. Il avait déjà réussi les deux premiers examens et ne voulait surtout pas échouer l'ultime. Son employeur ne tolérait qu'une seule reprise.

Afin de contrecarrer les effets négatifs de son imagination, il se nourrissait de livres sur la pensée positive et s'efforçait de demeurer dans un état d'esprit où les mots « impossible » et « échec » ne faisaient plus partie de son vocabulaire. Il se visualisait, sortant de la salle d'examen, sûr de lui, triomphant. Il se disait que s'il n'y parvenait pas, ce serait parce que ses pensées n'étaient pas suffisamment puissantes et qu'il était incompétent. Il l'aurait bien mérité.

« Et en plus, tu te tapes des bouquins qui n'ont rien à voir avec la finance : *Pouvoir illimité, Demandez plus et vous recevrez ce que vous désirez, Réfléchissez et devenez riche*. Est-ce qu'ils mentionnent aussi la prochaine compagnie qui va nous faire devenir riches ? demanda Jack en feignant de feuilleter un des nombreux ouvrages qui traînaient sur le meuble derrière le bureau de Christopher.

– Ce que tu peux être idiot quand tu t'y mets, toi ! Tu deviens ce à quoi tu penses. Voilà ! Si tu penses négatif, tu feras face à l'échec. Si tu penses positif, tu obtiendras le succès. C'est simple et facile à dire… beaucoup moins à appliquer…

— Si l'on devient ce à quoi on pense, eh bien, je vais me transformer en une très jolie et plantureuse blonde, moi! s'exclama Jack, en clignant des yeux avec une mimique digne des comédiens de Broadway.

— Ne ris pas de cela. Il ne t'est jamais venu à l'esprit que nous pouvons contrôler notre destinée? que nous pouvons changer et transformer des choses de notre vie pour les améliorer? que nous sommes responsables de ce que nous devenons?

— Tu es en forme ce matin, mon ami! Je n'ai pas encore fini de prendre ma première dose de caféine et tu me déballes tout un lot de réflexions profondes! Je ne sais pas qui est en contrôle de quoi, mais je trouve que les dés sont pipés pour la plupart d'entre nous. Regarde M. Carter par exemple. Tu trouves qu'il a une attitude positive et altruiste face à la vie, toi? Moi, je te dis: "Ne lui tourne surtout pas le dos... sinon...". Et pourtant, il a tout ce qu'il désire de la vie: une villa de rêve aux Antilles, un yacht de 25 mètres, et en plus il est entouré des plus jolies demoiselles... D'ailleurs je ne me souviens pas de l'avoir vu une seule fois invoquer les dieux du positivisme. C'est un "killer" si tu veux mon avis.

— Tu es dur avec notre patron, Jack. Il a pris des risques énormes quand il a créé cette boîte. Il a quitté l'une des compagnies de fonds communs de placements les plus prestigieuses au pays et il a fondé sa propre entreprise de gestion privée pendant l'un des pires marchés baissiers de notre histoire. Il avait un rêve, une vision et il l'a réalisée.

– Oui, mais aux dépens de qui… ? »

Christopher était le grand frère « spirituel » de Jack. Il était sérieux, discipliné. Jack était joyeux, foufou… et plus fataliste. Il trouvait que son ami se cassait beaucoup trop la tête pour rien. De son côté, Christopher était intimement convaincu que chaque personne sur cette terre tient son destin entre ses mains.

Cette confrontation idéologique comprenait également Tom Carter, le fondateur de la compagnie où Jack et Christopher travaillaient. Jack affirmait qu'il avait été chanceux, voire opportuniste. Christopher préférait penser quant à lui qu'il avait développé un système de pensées qui lui apportait tout ce qu'il désirait. Christopher avait choisi son camp : Il voulait lui ressembler et reproduire son infaillible recette gagnante.

Chapitre 2

Une artiste attend

« **S**hiva! Non! Ne te frotte pas à… [Crack!]… Trop tard… tu l'as déjà fait. Quelle idée ai-je eu aussi de t'attribuer le nom du dieu hindou de la destruction! On dirait que tu t'ingénies vraiment à lui faire honneur, vilaine! »

La délicate féline noire, tachetée de blanc, regarda Guylianne nonchalamment. Elle se pourléchait les babines tout en se dandinant doucement, admirant sa dernière victime : un magnifique vase de porcelaine. Guylianne tentait de dompter tant bien que mal mademoiselle Shiva… mais peut-on vraiment dresser une chatte, ou ne doit-on pas plutôt s'accommoder de son petit « caractère » parfois capricieux ?

Perdue dans ses pensées, elle ramassait les morceaux éparpillés aux quatre coins de la pièce quand le téléphone sonna :

« Bonjour, mon amour.

– Bonjour, Christopher, tu reviens bientôt ?

– C'est pour cette raison que je te téléphonais, j'ai pris du retard sur mon horaire et je n'ai pas eu le temps de…

– Mais Christopher, aujourd'hui c'est…

– Je sais, Guylianne, je sais. Je m'empresse de tout faire promptement et j'arrive le plus tôt possible. Je pense à toi très fort… Tu sais que je dois tenir le coup également de mon côté », lui dit Christopher.

Déçue, Guylianne se retourna et saisit Shiva dans ses bras. C'était son moyen de chasser sa tristesse et de faire en sorte ainsi que rien ne paraisse. Elle changea le sujet de la conversation :

« Tu n'oublies pas d'inviter Jack ce week-end pour le Super Bowl, n'est-ce pas ?

– Bien sûr que non, mais pourquoi me demandes-tu ça ?

– Pour rien… Enfin, je crois que Jack pourrait très bien s'entendre avec Maude. Ce serait une excellente occasion pour eux deux de faire connaissance. »

Il sourit et se leva afin de fermer la porte de son bureau, but une autre gorgée de café, puis lui dit :

« Tu es trop mignonne… Tu veux jouer les "entremetteuses" maintenant ? » dit-il en prenant dans sa main la petite sculpture de cristal et de bronze disposée bien en évidence sur le coin de son bureau, puis il continua :

« Tu penses tellement à tes petits cupidons que tu es en train d'en devenir un ! Jack sentira le coup monté gros comme ça, et très franchement je ne sais pas comment il réagira.

– Allez, je sais que tu sauras lui parler. Je te laisse travailler. Tu ne rentres pas trop tard, hein ?

– Je fais du mieux que je peux, Guyl, mais tu sais que c'est une grosse période pour moi en ce moment avec mes études et tout », lui répondit Christopher en baissant la voix, perdant son sourire et se sentant tout à coup envahi par la culpabilité.

– Je sais, je comprends. Je te laisse… Je t'aime…

– Moi aussi je t'aime, Guyl », dit-il d'une voix crispée, se sentant encore une fois coincé entre l'arbre et l'écorce.

Shiva était l'unique compagnie de Guylianne ces derniers temps. Malgré ses comportements imprévisibles, elle s'y était attachée, d'autant plus qu'elle était née le même jour qu'Élodie.

Toutes les deux avaient connu un début de vie éprouvant, mais seule Shiva avait survécu. Selon les croyances de l'hindouisme, Shiva est l'un des trois grands dieux hindous dont le nom signifie « détruire pour mieux reconstruire ». C'est pourquoi Guylianne avait nommé sa chatte ainsi, car elle symbolisait pour elle à la fois les forces de destruction, mais particulièrement aussi le temps qui annihile tout et qui fait néanmoins œuvre de régénération.

Bien sûr, elle était heureuse d'avoir trouvé une petite boule de poils à cajoler et vers qui épancher tout l'amour maternel qui l'habitait. Elle se retrouvait maintenant dans cette tourmente et ce dilemme où se côtoyaient la mort et la vie. Mais peut-on vraiment survivre à son enfant? En même temps, Shiva lui rappelait aussi une vie qui lui avait été arrachée en l'espace de quelques instants…

Les larmes ruisselaient sur ses joues. Aucune journée ne passait sans qu'elle ne repense à sa petite fille, son petit ange, sa petite Élodie.

« Bon, maintenant que tu l'as brisé, je suppose que je devrai en refaire un autre? C'est ce que tu veux? Si au moins je pouvais faire un autre enfant. Si au moins je pouvais redevenir enceinte aussi facilement que la première fois… je pourrais réparer ce qui est arrivé. J'aurais un enfant, au lieu d'avoir une chatte! »

Combien de fois s'était-elle retrouvée seule un mardi soir? Elle ne les comptait plus. Elle ne s'imaginait pas que Christopher puisse avoir une aventure, une liaison avec une autre. En fait, oui, il avait une liaison avec une maîtresse. Mais contre cette maîtresse-là, elle se sentait impuissante. Cette envoûteuse se nommait « Ambition ».

Son amoureux voulait le meilleur pour sa douce Guylianne. Il souhaitait qu'elle ne s'inquiète de rien. Le spécialiste de la clinique de fertilisation avait été formel à cet égard en s'adressant à elle : « Si vous voulez devenir enceinte de nouveau, il vous faut un environnement calme, dénué de tout stress. »

En attendant, afin de diminuer sa tension, elle se servait de ses mains et de son imagination et modelait les blocs de cire à sa guise afin de créer des moules qui accueilleraient le bronze par la suite et donneraient une expression à cet esprit créateur qui l'habitait.

Pendant la journée, elle esquissait, croquait sur le vif des scènes de la vie courante. Elle capturait des « capsules de vie », comme elle les appelait.

Son doigté exceptionnel pouvait transformer cette matière malléable à fort potentiel. Depuis quatre ans, elle avait le sentiment de créer. Son talent était sûr et de plus en plus reconnu. Les enfants qu'elle sculptait étaient vivants, pleins d'expression. Christopher restait toujours sans voix lorsqu'il voyait pour la première fois une nouvelle œuvre, une nouvelle manifestation de son talent. Le mélange de cristal et de bronze qu'elle utilisait donnait puissance et grâce à ses œuvres. La Vie parlait à travers elles... d'une autre manière...

Chapitre 3

Désir et performance

« **B**onsoir, pourrais-je parler à M. Lewis ? Mon nom est Christopher Walker, je vous appelle de la part de la compagnie Reckford, Bryler & Carter...

Cinquante fois par soir, il répétait inlassablement son argumentaire appris par cœur. Lorsqu'il était chanceux, il décrochait un ou deux rendez-vous. S'il avait vraiment de la veine, l'un de ces rendez-vous se solderait par une éventuelle vente ou un transfert de compte pour sa compagnie.

Tout avait été méticuleusement étudié. Chaque image, chaque couleur, chaque mot avait été soigneusement analysé par l'œil aiguisé des spécialistes de marketing.

Tom Carter avait bâti son empire en connaissant le plus important : QUI possède l'argent. Il avait effectué plus de 10 000 sollicitations au hasard, mieux connues dans le milieu sous les termes appels à froid, ou plus familièrement *cold call*. En somme il avait pris l'appareil de plastique noir et l'avait transformé en un puits inépuisable de ressources financières. L'homme était une légende. Il s'était bâti un nom, une réputation à force de travail, de détermination et de statistiques.

Christopher admirait son patron et était résolu à emprunter le chemin tracé par son maître. Il paierait le prix, c'est-à-dire d'être au travail quand tout le monde est au repos.

En continuant ce travail à un rythme de 3 et même 4 soirs par semaine, il réussirait, d'ici quelques années, à se faire une clientèle bien à lui.

Quand la motivation venait à faiblir, il se remémorait son enfance. Sa famille ne faisait que survivre. Il n'oublierait jamais cette sortie à l'épicerie : son père et lui déposaient les fruits, les légumes et les boîtes de conserve sur le tapis roulant de la caisse. Une fois tout le contenu du chariot poinçonné, la caissière annonça le montant total : « 78,13 $, monsieur Walker. Ce dernier n'avait que 60 $ en poche, le budget alloué pour la nourriture.

Christopher se souvint du visage catastrophé de son père. Il n'avait que 9 ans et pourtant, il réalisait déjà le sacrifice, la honte, la résignation que son père devait ressentir. Il devint triste. Triste et résolu. Un jour il se démarquerait des autres. Christopher s'était fait la promesse solennelle qu'il réussirait. Il atteindrait cet état standard. L'Amérique n'avait qu'à bien se tenir, un de ses enfants avait décidé de réussir et de devenir riche.

Chapitre 4

Deux bonnes amies
se confient

« **B**onsoir, Maude, je peux entrer? demanda Guylianne en ouvrant la porte, certaine de la réponse.

– Viens t'asseoir, ne reste pas dans l'entrée comme ça! Tu es pâle, est-ce que ça va? s'inquiéta Maude, contente d'accueillir son amie, mais la sentant fragile.

– Non. Chris a dû encore une fois faire des heures supplémentaires ce soir, en plus de ses satanées études.

– Allons, ça lui passera. Ton chum est un bon gars. Tu sais à quel point il veut réussir et de quel milieu il vient? C'est normal de vouloir prouver sa valeur à ce point. Après tout, tu es presque de descendance royale!

– Mmmouais... je sais qu'il me dit sans cesse que c'est pour nous qu'il travaille aussi intensément...

mais je commence à trouver que le « nous » c'est lui, répliqua Guylianne ne désirant pas élaborer davantage sur ses origines.

– Tu as noté quelle date nous sommes aujourd'hui ?

– Eh oui, le 21 janvier… j'avais réussi à ne pas y penser de la journée… mais ce soir… je m'attendais à ce qu'il fasse un effort pour rentrer plus tôt.

– Tu es dans tous tes états à pareille date chaque année.

– Je ne cesse de m'imaginer à qui elle ressemblerait. Quel genre d'amies elle aurait. Il me semble que j'entends des rires d'enfants, courant dans la maison et jouant avec ma douce Élodie, dit Guylianne en se fermant les yeux et en prenant une gorgée du verre d'eau que Maude venait de lui servir.

– Tu es si dure avec toi, Guyl.

– J'ai été éduquée ainsi et il m'est très difficile de penser autrement. Chaque fois que je commence à me détendre ou à me sentir bien, une pensée néfaste surgit dans mon esprit : "Je dois faire quelque chose de pas correct pour que le bon Dieu ne m'accorde plus la chance d'avoir un enfant". Alors, tu imagines ? Et je te passe sous silence les pires, je t'assure, ça ne vaut vraiment pas la peine de les connaître.

– Tu tournes trop en rond dans cet appartement. Tu devrais sortir plus souvent, rencontrer de nouveaux amis. Pourquoi ne pas aller voir à quel point tu as encore de la "valeur" sur le marché ?

– Je ne suis pas de ce genre-là, Maude, et tu le sais.

– Je ne te parle pas de coucher avec le premier mec venu. Je te parle d'être là avec Gustave et ses copains et d'échanger avec des gens intelligents sur des sujets qui t'intéressent. De toute façon, tu n'as pas à te faire de soucis. Je crois que tous les amis de Gustave sont gais, alors… ? »

Maude et Guylianne s'esclaffèrent.

« En attendant… ton "défoulement" dans la sculpture est en train de créer une onde de choc impressionnante dans le monde de l'art new-yorkais. J'ai montré des photos de te œuvres à Gustave et il a totalement adoré ! Il affirme que c'est du jamais vu. Du *grand art*. Il te trouve géniale !

– Tu dis ça pour me remonter le moral et me faire plaisir.

– Non, pas du tout ! Je lui parlais au téléphone avant que tu arrives et je lui racontais justement que je t'avais croisée aujourd'hui. Il veut te rencontrer. Je crois qu'il a une proposition à te faire.

– Je ne sais pas. Je ne fais pas ça pour l'argent, mais pour passer le temps, comme tu le dis. S'il me demande de produire des œuvres assez rapidement, je ne suis pas certaine d'être inspirée. Et tu sais que l'argent et moi nous ne sommes pas en très bons termes.

– Tu as du talent, ma belle. Et je trouve vraiment dommage que tu ne l'exploites pas plus que tu ne le fais actuellement. Allez, laisse-moi arranger un dîner sympathique, juste nous trois. Qu'as-tu à perdre ? Dans le pire des cas, tu exposeras dans une des plus prestigieuses galeries d'art contemporain de New York, tu seras reconnue mondialement pour ton génie et tu deviendras totalement indépendante de fortune !

– Exactement ce dont rêve Christopher. Tu imagines l'affront ? Lui, il bûche à son boulot de m... 60 heures par semaine, et moi je lui botterais les fesses en m'amusant à sculpter des enfants sans visage... »

Et vive la femme !

Maude avait le chic pour réconforter Guylianne lorsque celle-ci n'était pas dans son assiette. Elles se connaissaient depuis de nombreuses années et avaient développé au fil du temps une complicité que beaucoup de leurs amies leur enviaient.

Un aspect intéressant de ses épisodes d'angoisses et d'émotions fortes c'est qu'ils étaient habituellement suivis de très grandes périodes de créativité. Défoulement, expression de sentiments, elle passait quelquefois cinq heures en état presque méditatif à créer ses petits chérubins sans visage.

Elle vivait d'intenses moments de félicité et une paix momentanée, mais profonde s'installait en elle. Chaque chérubin racontait une page de son histoire. Chaque mouvement, geste, intention trouvait racine à la source des émotions de Guylianne.

Chapitre 5

Des souvenirs douloureux

« Jack! Attends-moi! cria Christopher à l'autre bout du couloir. Jack eut juste le temps de bloquer la porte de l'ascenseur afin de lui permettre d'entrer.

– Merci, vieux! Je n'avais pas le goût de patienter cinq minutes de plus que ce "dinosaure" d'ascenseur franchisse les 32 étages.

– Comment s'est déroulée ta rencontre avec Mme Elliot? demanda Jack.

– Ce n'est pas facile pour elle depuis que son mari est décédé l'été dernier. Mais elle s'en sort. De plus, je crois qu'elle m'aime bien.

– Fais attention de ne pas trop la courtiser. M. Carter n'apprécie pas la compétition!

– Je sais, je sais, répliqua Christopher.

– Elle vaut combien, la vieille ? 25, 30 millions ?

– Ne l'appelle pas comme ça, veux-tu ? C'est quand même une dame respectable qui pourrait bien être ta mère, avant d'être un compte de 50 millions de dollars.

– Elle vaut 50 millions ! Eh bien, dis donc, c'est un beau parti à fréquenter, malgré ses 65 ans ! Il y a certainement des loups qui courent déjà après "cette demoiselle de l'âge d'or"... à moins que tu veuilles tenter ta chance ! lança Jack tout de go.

– Ce que tu peux dire des sottises en moins de 30 étages, toi ! J'ai une compagne de vie, figure-toi donc !

– Et alors ?

– J'ai des principes, voilà !

– Monsieur a des principes ? Mais tu débarques de quelle planète, mon pote ? Tu ne vas pas me faire croire que c'est encore l'amour fou après quoi, 10 ans ?

– Cinq ans, Jack », répondit Christopher, habitué au comportement bon enfant de son ami. L'ascenseur termina sa course. Il interpella Jack avant que celui-ci s'éloigne :

– Hé ! n'oublie pas que tu es invité dimanche ! Maude devrait être là également.

– Essaierais-tu de détruire ma merveilleuse vie de vieux garçon en voulant me présenter à une jolie jeune femme célibataire ?

– Ce n'est pas moi, c'est Guylianne qui s'imagine que vous feriez tous les deux un beau couple, mais après ce que tu viens de me dire, je ne crois pas que ce soit dans tes intentions. De plus, je n'ai pas l'impression que Maude soit millionnaire.

– Ne me juge pas si vite, Chris, de toute façon, je serai là pour les Jets et toi ! Ils gagneront, j'en suis certain !

– Je crois plutôt que je me ferai 100 $ assez facilement ! Merci d'avance !

* * *

Christopher roulait. C'était le moment privilégié de la journée où il pouvait penser librement sans se faire déranger à tout bout de champ. Sa vitesse s'accélérait au fur et à mesure qu'il chantait à tue-tête et tapait des mains sur le volant de sa voiture.

Une pièce musicale de son groupe préféré jouait à cette station « *oldies*[1] ». Il aimait s'imaginer en train de performer sur scène devant des milliers de personnes et de recevoir des applaudissements à tout rompre pour faire le pitre et se défouler. Quel travail de rêve... Tout le monde vous vénère !

---

1. Anciennes chansons populaires.

Cette chanson de *Styx* le propulsa cinq années en arrière. Il se souvint de la dernière fois où il l'avait entendue. « Je suis enceinte, Chris ! » lui avait annoncé Guylianne. Elle flottait sur un nuage et se sentait prête à assumer son rôle de mère malgré son jeune âge. Christopher, quant à lui, paniquait et sombrait en pensant à toutes les implications financières de l'arrivée de cette nouvelle vie.

De son côté, Guylianne était resplendissante avec sa petite bedaine, se souvenait Christopher arrêté à un feu de circulation. *« Décidément, cette station de radio me fait vivre de bizarres émotions ce soir »*, se dit-il tout en se transportant de nouveau dans son passé. « Me trouves-tu belle quand même, Chris ? lui avait demandé Guylianne. « Tu es superbe, ma chérie, et je suis certain que la petite merveille dans ton ventre l'est tout autant ! »

S'essuyant les yeux pour mieux apercevoir la route devant lui, Christopher fut de nouveau projeté dans le temps, cette fois-ci, 7 mois plus tard. C'était l'après-midi, vers 14 h, quand soudain une douleur atroce assaillit Guylianne. La voyant pâlir il décida aussitôt de l'amener sur-le-champ à l'hôpital le plus proche. Quelques heures plus tard, elle accouchait prématurément. La petite pesait tout juste 2 kg. Les médecins déployèrent tous les efforts possibles et réussirent à garder le petit ange en vie… mais pour un temps seulement.

Élodie se battant pour survivre… cette image qui revenait en force dans son esprit contraint Christopher à arrêter sa voiture sur le côté de la route. Le chagrin et la culpabilité l'envahissaient.

« *À force de finir tard tous les soirs, je ramollis* », se dit-il. Pour se changer les idées, il syntonisa un autre poste de radio et se concentra sur ses rendez-vous du lendemain. Une fois de plus, il repoussa ses émotions jusqu'au fond de lui-même. Élodie… si fragile, si légère, et pourtant si présente en ce moment…

Lorsqu'il arriva à leur appartement, toutes les lumières étaient éteintes. Il se glissa lentement auprès de sa douce, ne voulant pas la réveiller. Il posa sa tête sur l'oreiller, prêt à s'endormir. Elle ne dormait pas et lui murmura :

« Elle aurait 5 ans aujourd'hui…

– Je sais.

– Elle irait à l'école…

– Je sais.

– Pourquoi est-ce arrivé, Christopher ?

– Je ne sais pas.

– Je suis si triste. Prends-moi dans tes bras et dis-moi que tu m'aimes…

– Je t'aime, Guylianne. Je t'aime…

Christopher serra Guylianne tout contre lui afin de lui apporter un peu de réconfort. Il se sentait totalement impuissant à pouvoir l'aider…

Chapitre 6

Quand le rouge bouge

C hristopher avait beau les faire « recalculer » à partir de son tableur *Excel*, les chiffres inscrits dans la cellule du bas demeuraient rouges. Le rouge du manque, le rouge de la honte, le rouge qui fait mal quand on cherche à boucler ou à équilibrer son budget.

Muni d'un ordinateur PC qu'il s'était procuré récemment et d'une connexion à Internet, il effectuait des investissements. À vrai dire, il vaudrait mieux appeler ses transactions de la spéculation, car il n'envisageait pas le long terme, mais plutôt de bons profits à court terme. Mais voilà, il n'avait pas prévu quelles seraient ses réactions par rapport à la fluctuation de ses placements boursiers. Son premier placement s'était heureusement soldé par un léger gain de mille dollars. Ce n'était pas énorme, mais c'était plus d'argent qu'il n'en gagnait en une semaine ! Et ça ne lui avait pas pris tellement de temps. *« C'est vrai que le calcul vaut le travail ! »* s'était-il alors rappelé.

Puis, une autre transaction lui avait rapporté 2 500 $. Il était fou de joie. Enfin, il avait trouvé un moyen pour arriver à ses fins. Sur les 10 transactions suivantes, 8 avaient été profitables et 2 s'étaient soldées par des pertes. Une petite tape sur les doigts afin de lui rappeler qu'il n'était pas infaillible.

Nourri par cette confiance nouvelle qui l'habitait, il augmenta peu à peu le montant ainsi que les risques inhérents à chacune de ses transactions. L'ambition commençait lentement à s'emparer de lui, à le dévorer.

Les dix autres transactions furent par la suite un peu moins profitables. En fait, la dixième s'était transformée en une perte qui avait entièrement effacé tous ses gains antérieurs... Humilié et toujours sous l'influence de cette décharge d'adrénaline qui le tenaillait dans la poursuite de son rêve, il avait tenté un coup fumant... mais voilà que le seul côté fumant de sa transaction fut la fumée que son argent fit en s'envolant !

Afin de couvrir les pertes que ces placements avaient engendrées, il avait décidé de prendre l'argent manquant dans le compte servant aux dépenses du couple. Il justifiait cette décision, du fait qu'il avait cette fois-ci un bon titre en portefeuille : *Vintage inc.*

Il était convaincu sans l'ombre d'un doute que ce titre sous-évalué et sous-estimé exploserait d'ici quelques mois et qu'il serait alors en mesure de remettre toutes les sommes qu'il avait empruntées temporairement dans leur caisse commune. Il comptait et recomptait depuis plusieurs heures déjà. Chaque muscle de son corps était tendu à son maximum.

Ses mains tremblaient. La pression de son travail venait envenimer une situation intérieure intense. Le secret qu'il gardait le faisait souffrir. Heureusement, il avait toujours à sa disposition une bonne bouteille de vin rouge… « Ne t'en fais pas, Guylianne, de toute façon, ce n'est pas une ou deux coupes à l'occasion qui fait de moi une personne alcoolique. Et ça m'aide à passer au travers les moments où il y a trop de pression », se disculpait-il auprès de sa douce.

Son regard se posa un moment sur l'un des chérubins que Guylianne avait sculptés, un cadeau à l'occasion de la Saint-Valentin.

« J'aimerais me sentir comme toi, tu sais ! Tu vis avec l'air du temps, tes parents sont des dieux immortels et tu ne connais même pas la valeur de l'argent. Ton loyer c'est un nuage et tout le monde t'aime en te voyant. Tu es un petit être bien chanceux, Cupidon ! Dommage que tu ne me portes pas chance… », dit-il en s'adressant à la statuette.

Christopher caressait la tête de la sculpture en se remémorant sa première transaction déficitaire.

C'était la journée même où il avait reçu cette pièce en cadeau de Guylianne. Refusant de s'avouer superstitieux, il s'était toujours demandé si cette petite statue ne lui avait pas amené le mauvais sort... mais par la suite, il avait réussi deux ou trois bons coups et cette idée saugrenue s'était évanouie de son esprit.

Chapitre 7

Deux adversaires, un seul vainqueur

« **G**uyl! Je ne trouve pas la télécommande! L'émission d'avant-match est déjà commencée et je ne peux pas la syntoniser!

– Mais le match ne commence que dans trois heures!... Ah... vous, les hommes et votre football! Essaie donc de la trouver dans la fente au milieu du sofa...

– J'ai déjà regardé et elle n'y est pas, lui dit Christopher en retournant sonder une huitième fois la fameuse ouverture longue et étroite du divan, là où se cachent tous les objets perdus.

– Je suis sûre qu'elle y est », répliqua Guylianne en marchant vers le salon. Sans même prendre le temps de regarder, elle enfonça sa main dans le milieu du divan... et boum! la ressortit en arborant un air victorieux sur son visage et en exhibant la télécommande. « Touchdown[1], mon cher !

– Tu l'as fait expr... »

Au même instant la sonnette d'entrée retentit. Laisse, je vais répondre, ce doit être Maude. » Guylianne jeta un coup d'œil au travers de la porte, puis constatant qu'il s'agissait effectivement de Maude, la laissa entrer, soulagée de ne pas avoir à supporter seule, le veuvage provisoire du Super Bowl annuel.

Saisissant les sacs de victuailles des mains de Maude, elle s'apprêtait à retourner à la cuisine quand la sonnerie retentit de nouveau.

« Ce doit être Jack ! J'y vais ! lança Christopher qui venait tout juste de syntoniser le poste désiré, le Saint-Graal de ce dernier dimanche de janvier...

L'instant suivant fut des plus intéressants. Jack et Maude avaient entendu parler l'un de l'autre par leur ami respectif, mais ne s'étaient jamais rencontrés en personne, ni même vus en photos. Une fois ce premier moment de gêne passé, Christopher et Guylianne allèrent déposer les provisions de leurs deux invités, les laissant faire plus ample connaissance au salon.

---

1. Touché ! Au football américain, jeu offensif qui consiste pour un joueur à atteindre la zone des buts adverse en possession du ballon ou à attraper une passe dans cette zone. Un touché vaut six points.

Christopher et Guylianne échangèrent un regard complice lorsqu'ils déballèrent les sacs. Jack avait acheté de la bière en promotion (l'étiquette rouge était encore sur la caisse). Maude s'était procurée une bouteille de vin rouge italien millésimé. Jack avait apporté des bretzels, des chips au BBQ et des rondelles d'oignons. Maude avait amené des pâtés de foie gras, des fromages à pâte fine et des crudités.

« Mmmouais, j'espère qu'ils se découvriront d'autres points communs ces deux-là, parce que côté bouffe… »

Christopher éclata de rire et serra Guylianne dans ses bras. Il se comptait chanceux d'avoir trouvé une conjointe comme elle et de ne plus avoir à être confronté à ces rendez-vous surprise…

« On va passer un beau dimanche, ma belle. Je te le promets, mais promets-moi de venir faire ton tour et de t'asseoir sur moi pendant la partie. Ne reste pas confinée ici dans la cuisine avec Maude. J'ai le goût de te voir. »

Il la pressa sur lui et Guylianne perçut qu'il la désirait. Elle fut mal à l'aise un instant de cette démonstration plutôt intime alors qu'il y avait des invités dans la maison, mais elle se sentit toutefois très bien en tant que femme d'être ainsi désirée. Elle lui sourit et lui donna un bisou à l'aide de son index qu'elle plaça sur sa bouche puis sur la sienne : « Promis, je viendrai m'asseoir sur toi… »

*   *   *

Telles deux gamines au secondaire, Maude et Guylianne s'observaient dans le salon, ne suivant l'émission d'avant-match que d'un œil distrait... très distrait!

À la première occasion, elles iraient «potiner» à la cuisine et échanger leurs impressions. Elles n'eurent pas à attendre longtemps. Jack questionna Christopher sur une statistique concernant son équipe, les Packers, et aussitôt ils se ruèrent sur Internet afin d'y trouver la réponse. Pendant ce temps, nos deux demoiselles en profitèrent pour aller s'isoler et parler un peu.

«Alors? Comment le trouves-tu? demanda Guylianne, un tantinet inquiète de la réaction de sa meilleure amie.

– Il est beau garçon. Tu avais raison. Surprenant qu'il ne soit pas pris et surtout pas plus gras avec ce qu'il mange et qu'il boit! s'esclaffa Maude qui avait remarqué les goûts très «junk food» de Jack. «Je n'ai pas eu l'occasion d'entrer dans de grandes discussions avec lui, mais il a les yeux vifs et intelligents et il a un de ces sens de l'humour!

– Oui, je sais. C'est ce qui me plaît le plus chez lui. Chaque fois qu'il est là, on se marre! Il a le don de la remarque drôle et inattendue! lui répondit Guylianne soulagée.

– Et en plus, il t'a regardée au moins une dizaine de fois sans que tu t'en aperçoives. Je pense qu'il te trouve pas mal mignonne, toi aussi. Mais ils sont tous deux tellement absorbés !

– Guyl ! C'est le Super Bowl ! Et tu sais comment ils deviennent ! Ils ne pensent qu'aux gros bonshommes qui se foncent dedans et qui font *wouwouwou !* lorsqu'ils franchissent leur petite ligne blanche !

– Et toi avec Christopher, est-ce que ça s'arrange un petit peu ?

– Ce n'est pas si mal. Il est tendre et attentionné, mais on dirait que j'ai moins le goût… et en même temps je veux que nous ayons un enfant. Tout devient confus dans ma tête. C'est comme s'il y avait deux forces qui me divisaient.

– Il faut absolument que tu rencontres la femme dont je t'ai parlée. Elle est exceptionnelle. Elle t'aidera, je te le garantis. Et en plus, il faut que tu te changes les idées. Tu travailles au même endroit où tu vis. Tu ne dors pas assez. Tu dois te retrouver. Je vais t'organiser un rendez-vous.

– Je ne sais pas si ce sera une solution… peut-être… je verrai…

* * *

« Le score est maintenant de 21 à 13 pour les Packers. Les Jets sont à leur ligne de 20 et entreprennent ce qui devrait être la dernière séquence du dernier match de la saison.

– Les Jets vont l'emporter! s'exclama Maude.

– C'est impossible. Tu as vu comme ils ont de la difficulté face à notre défensive? Et comment peux-tu affirmer cela?

– J'étais chez madame…, chez une dame très spéciale la semaine dernière et elle m'a prédit que les Jets gagneraient, affirma Maude d'un air mystérieux.

– Est-ce celle-là qui t'avait prédit que…, laissa flotter Guylianne

– Oui, exactement. Elle est très bonne.

– Qu'est-ce que c'est que ces histoires encore! Moi je vous fais cette prédiction : Jack va me devoir 100 $ dans moins de 3 minutes.

– Es-tu prêt à parier, Christopher? Que dirais-tu d'une visite chez cette dame? le défia Maude

– Ouais, si tu es si sûr pour tes Packers comme tu l'as été pour m'arracher mes 100 $, pourquoi ne paries-tu pas? rajouta Jack à la conversation, cherchant du même coup à se ranger du bon côté…

– OK! c'est entendu, je tiens le pari! Si les Packers perdent, je me soumettrai à vos conditions. Mais s'ils gagnent?

– Je vous préparerai à dîner un soir qui vous conviendra et je vous servirai moi-même, dit Maude le sourire en coin et sûre d'elle-même.

– Parfait, maintenant concentrons-nous sur la partie !

Chapitre 8

Et si c'était vrai ?

« J e me sens ridicule d'attendre dans une petite pièce afin de connaître notre avenir... à moins que... sais-tu si elle a de bons tuyaux concernant les meilleures options sur actions à acheter d'ici la fin de ce trimestre ?

– Tu m'avais promis de bien te comporter, Christopher ! Ne me gêne pas devant elle. Savais-tu qu'il fallait attendre plus de six mois et être recommandés pour avoir un rendez-vous avec elle et nous sommes très chanceux de la rencontrer si rapidement ?

– J'ai plutôt l'impression que c'était un coup monté entre Maude et toi ! À t'entendre parler, elle a une liste d'attente de six mois, apparemment des clients à ne plus savoir quand les rencontrer, elle exige une somme de 75 $ la séance et c'est tout ce qu'elle a trouvé comme mobilier pour sa salle d'attente ?

répliqua Christopher en examinant la pièce dans laquelle ils étaient confinés.

– Pour certaines personnes, il n'y a pas que l'apparence qui compte. Ce n'est probablement pas dans ses priorités.

– De toute façon, qu'est-ce que cela va changer à ce qu'elle te dira? Il y a toujours le facteur de la chance dans toutes ces histoires de prédictions. Si ça se trouve, elle te dira que tu as la liberté de choisir ton destin, ce qui est vrai. Tout ce qu'elle te dit ce sont des possibilités, ce qui est également vrai. Elle inventera des raisons pour te faire croire qu'elle doit te protéger et qu'elle ne peut pas TOUT te dire, ce qui sera faux, mais qui est cependant très efficace pour masquer l'arnaque…

– Veux-tu cesser immédiatement! J'aurais dû écouter Maude et ne pas te laisser venir ici. Je crois que j'ai fait une erreur.

– OK, OK. J'arrête, chérie. Je suis désolé. Tu sais que je réagis toujours ainsi devant des choses… invisibles et pour le moins… dans les airs…

– Pourtant, tu lis tous ces livres sur la pensée positive. Ce ne sont que des pensées, "de l'air", comme tu le dis si bien, et je ne t'importune pas.

– Ce n'est pas pareil, mais bon, je te l'accorde. Je serai plus ouvert. Regarde-moi, je deviens un modèle d'ouverture d'esprit », lui dit Christopher en lui décochant une de ces expressions totalement naïves et dont lui seul avait le secret. Guylianne succomba à son charme enfantin. Elle lui fit une moue inoffensive et ils continuèrent leur attente dans un silence respectueux. Quelques instants plus tard, la porte s'ouvrit et une vieille dame sortit. Larmes à l'œil et papier mouchoir à la main, elle serra une dernière fois son interlocutrice et lui dit merci du fond de son cœur. On pouvait voir qu'elle était chamboulée et profondément ébranlée par ce qui venait de se passer.

– Bonsoir, vous devez être Guylianne ?

– Oui.

– Est-ce que vous désirez que votre ami assiste à cette rencontre ?

– Oui, c'est ce que j'aimerais...

– Très bien. Je voulais simplement m'en assurer. Entrez et installez-vous. Je reviens dans un instant, dit-elle en sortant aussitôt de la pièce, leur laissant ainsi le soin de s'asseoir.

– Elle ne veut pas que je sois là ou quoi ? A-t-elle quelque chose à cacher ?

– Non. C'est que j'avais pris le rendez-vous pour moi toute seule et je sais qu'elle ne reçoit que très rarement deux personnes à la fois, et jamais de couple, si je ne m'abuse...

Ils n'eurent pas le temps de terminer leur conversation qu'elle entra de nouveau dans son bureau. Son attitude avait complètement changé depuis qu'elle les avait accueillis. Elle était maintenant très concentrée, les yeux clos et elle marmonnait :

« Ce n'est pas votre faute. Cessez de vous en vouloir. Elle est toujours là près de vous et attend. Elle attend quelque chose. Elle attend que vous vous décidiez. Vous vous bloquez. Vous êtes fermée face à votre avenir et elle, elle ne cesse de laisser émaner de l'amour vers vous. Vous la percevez, mais ne réussissez jamais à mettre un visage sur elle. Le jour où vous la verrez, toute votre vie changera. Une tristesse de votre part doit être comprise et guérie avant que vous puissiez une fois de plus donner la vie. Vous devriez retourner voir vos parents. Votre père surtout.

– Nous ne nous parlons plus depuis cinq ans. Il m'a presque répudiée. Je ne suis plus rien à ses yeux, répondit Guylianne, bouleversée par ces révélations.

– C'est ce que vous croyez, mon enfant…

– C'est ce qu'il m'a dit ! »

Les larmes aux yeux, Guylianne sentit son sang se glacer. Christopher était là, ne sachant trop comment réagir. Il la prit dans ses bras.

« Votre père vous aime, soyez-en assurée. Il ne sait tout simplement pas toujours comment l'exprimer. Vous aurez envie de tout abandonner, mais tenez bon. La lumière est au bout du tunnel.

– Et pour ma petite puce ?

– Comme je vous ai déjà dit : ce n'était pas le temps. Elle est là et elle vous aime plus que vous ne le saurez jamais, mais vous devez cesser de vous culpabiliser afin de pouvoir la sentir auprès de vous.

La vieille dame prit une gorgée d'eau et entreprit de battre des cartes de tarot. Guylianne l'aida à les brasser et à les couper, puis elle en choisit un certain nombre.

« Oh ! » s'exclama-t-elle.

Guylianne et Christopher retinrent leur souffle. Incrédule et indisposé par ces révélations, Christopher ne réussissait pas à trouver une position confortable sur sa chaise et grouillait sans arrêt. La vieille dame continua :

« La prochaine fête des amoureux sera un moment important pour vous deux. Vous aurez, chacun de votre côté, d'importantes décisions à prendre. Je ne peux pas dire ce qui va se passer, mais ce sera un moment très intense dans votre existence. Je vous donne ce conseil : choisissez l'Amour et soyez vrais. D'abord avec vous-même et ensuite avec l'autre. Vous vous aimez beaucoup, mais je crains que vous ne vous fassiez très mal. Soyez vigilants. Il y a un nuage sombre qui vole au-dessus de vos têtes, mais vous aurez les moyens d'en venir à bout. Je sens que ce sera l'argent qui sera au cœur de votre litige... »

Christopher blêmit. Elle avait lancé la dernière phrase en lui décochant un regard comme si elle savait. Comme si elle connaissait son secret, mais qu'elle ne voulait pas le dévoiler devant Guylianne. Il serra Guylianne encore plus fort contre lui. Il l'aimait et il ne lui ferait aucun mal. Jamais. Cette vieille dame se trompait. Elle pensait savoir, mais elle faisait fausse route. Guylianne lui posa une dernière question :

« Et concernant mes sculptures ?

– Vous voulez savoir si vous réussirez à percer ? C'est votre destinée, ma chère. Il n'en tient qu'à vous. D'ailleurs, il y a quelqu'un qui tente d'entrer dans votre vie et qui porte la même initiale que vous, mais vous l'empêchez d'y avoir accès. Il détient la clé qui fera de vous une artiste connue et reconnue. Vous avez vraiment beaucoup de potentiel et de talents. Si vous le voulez, vous toucherez des millions de personnes par vos œuvres... »

Guylianne sentit des larmes emplir ses yeux. Elle ne pouvait plus les retenir. Elle, reconnue ? Un exutoire, un moyen de se désennuyer, quelque chose qui lui était si facile et qui pourrait ainsi transformer sa vie ! D'instinct, elle se retourna vers Christopher. Elle le sentit sourire... de l'extérieur, mais elle le devina également blessé dans son orgueil.

Il voulait tellement être le soutien, celui qui apporte, qui cajole, qui supporte. Si elle devenait indépendante, comment se sentirait-il ? Il avait peur. Peur qu'on lui prenne sa Guylianne. Il devrait travailler plus dur encore pour prouver qu'il la méritait.

La vielle dame s'était tue. L'entretien était terminé. Elle redevint celle qui les avait accueillis auparavant. Guylianne et Christopher sortirent du bureau. Aucun d'eux ne prononça un seul mot pendant leur trajet de retour…

Chapitre 9

Le hasard existe-t-il?

*C*omment vais-je faire pour lui annoncer ça? « *Je ne peux pas. Elle va être furieuse. Elle va me laisser tomber, c'est certain. Et je l'aurai bien mérité. Elle ne me le pardonnera jamais. Mais non, ça va s'arranger. Quelque chose va arriver, un événement qui va m'aider à m'en sortir. Je m'en suis toujours sorti*», se disait-il, tentant du mieux qu'il le pouvait de gagner le combat du positif versus le négatif qui faisait rage en ce moment en lui.

Christopher écoutait une conférence téléphonique, les yeux rivés sur son écran d'ordinateur. Son dernier choix, Vintage inc., venait d'être décoté par l'agence Moody's et l'action était en chute libre. Il venait encore une fois de perdre une somme importante dans cette transaction.

«Monsieur Carter veut te voir à son bureau immédiatement, Chris. Ça a l'air important lança

Jack en entrant en trombe dans son bureau. Tu es mieux d'arranger ta cravate et d'avoir meilleure mine, ajouta-t-il en le dévisageant, comme s'il pressentait quelque chose.

– Merci de m'avertir de mon apparence… J'ai très mal dormi cette nuit… et je commence à m'en ressentir. J'ai vraiment hâte que ce dernier examen soit passé », répondit Christopher en fermant le programme et en quittant sans faire trop de bruit la conférence téléphonique, qui de toute façon était ennuyeuse. Il suivit les conseils de son ami, passa par la salle de bain afin de se faire une ablution d'eau sur le visage et se présenta subito presto au bureau de son patron.

* * *

« Mon cher Christopher ! C'est ton jour de chance aujourd'hui ! Je devais rencontrer M. Greenfield, l'un de nos clients, mais je dois malheureusement me rendre de toute urgence à un autre endroit, et je ne peux remettre ce rendez-vous. Le vol de M. Greenfield atterrira à *JFK* en milieu d'après-midi. J'ai envoyé notre chauffeur pour le prendre à l'aéroport.

« Nous devions nous voir en fin de journée. Il s'agit d'une rencontre de routine. Fais-lui signer ces deux déclarations et ces trois confirmations de transactions. Remets-lui également cette enveloppe sans faute et demande-lui de me donner une réponse le plus rapidement possible. Quand tu auras terminé le tout, va porter son dossier dans mon classeur dans la chambre forte. Voilà la clé maîtresse. Tu la remettras à Joanne lorsque tu en auras terminé. Est-ce que c'est clair ?

– Très clair, M. Carter. Ce sera fait selon vos instructions.

– Parfait ! Je te fais confiance, Christopher. Si tu continues ton bon travail, tu auras encore d'autres occasions d'avoir de l'avancement, crois-moi ! »

Là-dessus, Tom Carter tira sa révérence. Christopher prit la clé ainsi que certains détails en note et se dépêcha de retourner à son bureau afin de se préparer à la rencontre.

* * *

« Quoi ? Il a acheté Vintage inc. à 0,85 $ et il l'a revendu à 5 $! Mais comment a-t-il pu se lancer dans cette aventure alors que la compagnie n'était même pas connue ? Et Pro-Red Ltd ? Personne ici ne suit cette compagnie et il a encaissé 3 M $ sur cette transaction… Mais qui donc est ce type ?

Il était 13 h 45. Christopher riait. Il se parlait à lui-même. Dans son bureau, il tournait en rond et se questionnait en préparant sa rencontre avec le plus gros client du bureau. Son excès de zèle l'avait amené à éplucher le dossier complet de M. Greenfield. Il s'était fait prendre au piège… à lire et à essayer de comprendre l'historique de ce compte au cours de la dernière année.

Aucune transaction ne s'était soldée par une perte. Pas un signe négatif sur les relevés de compte de ce client atypique. Des gains réguliers de 2 à 5 M $ par transaction semblaient le satisfaire. Christopher aurait bien aimé posséder un tel flair. Pourquoi son patron ne partageait-il pas ces tuyaux intéressants avec son personnel ? Il en aurait eu bien besoin, étant donné son faible taux de réussite personnel.

M. Greenfield se présenta au bureau, comme prévu. C'était un homme de stature imposante. Ses yeux gris acier glaçaient le sang. Il était de cette trempe d'homme que rien ne semble effrayer. Il aurait été général d'armée que cela n'aurait pas surpris Christopher.

« Comment ça, Tom n'est pas ici ? Qu'est-ce qui lui prend de me faire faux bond comme ça celui-là ! s'était exclamé celui-ci à Joanne lorsqu'elle l'avait averti de l'impair.

– Il s'est assuré que vous soyez très bien traité. Je vous présente Christopher Walker, avait tenté Joanne afin de calmer, en vain, le tempérament bouillant de cet homme.

Avec des papillons dans l'estomac, Christopher l'accueillit dans la salle de conférence.

« Voulez-vous quelque chose à boire, monsieur Greenfield ? Je crois que vous aimez le scotch ?

– Je vois que Tom vous a quand même laissé quelques informations à mon sujet, jeune homme ! observa-t-il, touché par cette marque d'attention personnalisée.

– En effet. Il m'a permis d'avoir accès à votre dossier, m'a précisé qu'il s'agissait d'une rencontre de suivi et que nous avions des documents à signer ensemble. Il est vraiment navré. Je ne sais pas ce qui s'est passé, mais je suis absolument convaincu qu'il s'agit d'une très grande urgence, car ce n'est pas dans ses habitudes de manquer à ses engagements, dit Christopher.

– Tout d'abord, il y a ces tickets de transactions à approuver, et cette enveloppe que M. Carter voulait que je vous remette en mains propres.

– Ce cher Tom ne m'a pas oublié au moins sur ce point. Il a toujours des informations surprenantes à portée de main, vous ne trouvez pas ?

– Je ne connais pas personnellement toutes les affaires dans lesquelles M. Carter est impliqué…

– Ta, ta, ta ! mon cher ami. Allons ! Vous n'allez pas me faire croire qu'il ne vous met pas au parfum ? Il ne vous parle pas des petits "trucs" ?

– Je ne sais pas à quoi vous voulez faire allusion, monsieur Greenfield.

– Laissez-moi ouvrir cette enveloppe si vous le voulez bien, dit Greenfield en s'exécutant. Ah voilà! Le prochain titre à surveiller: *Blueswing.com*. Lundi 16 février.

– C'est tout ce qui est inscrit sur la feuille?

– Quand on sait quoi faire avec un renseignement, il n'en faut pas tellement plus pour que ce soit payant... », lui répliqua M. Greenfield, avec un sourire en coin et sur le ton de la confidence.

Christopher ne savait quel comportement adopter. L'attitude de M. Greenfield était ma foi déconcertante, mais il hésitait à le questionner plus avant. Il semblait excentrique et entretenir une très bonne relation avec son patron et il ne voulait surtout pas faire une coche mal taillée.

Les papiers furent signés. Ils concernaient la formation d'une nouvelle entreprise qui achetait des parts d'une autre en retour d'un paiement futur qui devait être déterminé selon certaines modalités contenues à l'annexe A, que Christopher n'eut pas le temps de lire; mais il fut toutefois assez rapide pour juger de l'importance des sommes en jeu: au-delà de 75M$.

Un frisson lui parcourut le corps. Jamais il n'avait engagé sa firme par sa signature pour un tel montant. Pourquoi lui? Pourquoi cette transaction et surtout pourquoi son patron brillait-il par son absence cette journée-là?

* * *

Ne parvenant pas à s'endormir pour une nième nuit d'affilée, Christopher tentait de se souvenir de la berceuse que sa mère lui chantait.

«Allons, je n'ai qu'à me faire de l'auto-suggestion. Je me concentre sur ma respiration 1, 2, 3, j'inspire… 1, 2, 3, j'expire… Je vide mon esprit de tout tracas. Je suis sur le bord d'une plage, je visualise mes rêves. Je les ressens se manifester dans ma vie. Tout est calme et arrive sans efforts.

L'autosuggestion ou l'autohypnose, si vous préférez, était l'un des moyens qu'il essayait pour réussir sa vie. Volonté, contrôle, effort sont de drôles de mots à juxtaposer à bonheur, plénitude et paix intérieure. Il est facile pour nous de l'observer et de le regarder aller dans sa démarche… mais pour lui, à ce moment de sa vie, toutes ses pensées le confortaient. Il avait l'impression qu'il cheminait vers un destin.

Nul ne lui imposait quoi que ce soit. Il était suffisamment un bon bourreau pour lui-même sans avoir besoin d'un soutien extérieur, croyez-moi !

Ce soir-là, il s'endormit vers deux heures du matin. Il se leva à deux ou trois reprises pour prendre des comprimés pour son mal de tête. La visite de M. Greenfield et ses confidences inattendues tourbillonnaient dans son esprit et il tentait d'en comprendre le sens et les implications.

* * *

« Inchallah, SN16785 ». C'était un superbe, un énorme voilier de type catamaran. Grâce aux forts vents du large, sa vitesse atteignait des pointes de 35 nœuds. L'absence de motorisation laissait le champ libre au vent et aux vagues de remplir tout l'espace sonore disponible.

– C'est vraiment gentil à vous de m'avoir invité, monsieur Carter.

– Voyons, cesse de me vouvoyer maintenant, cher associé. Je suis content que tu apprécies cette randonnée. Ce n'est pas tout le monde qui peut monter sur ce bateau... Tu sais ce que je veux dire... »

Regardant autour de lui, Christopher put admirer la brochette d'invités sélects de M. Carter. Sûr de lui et parlant toujours plus fort que tous les autres, Greenfield était accompagné d'une jolie femme qui aurait facilement pu passer pour sa fille... mais qui était depuis peu sa nouvelle fiancée. Plus loin, M. et Mme Atkins, associés principaux dans l'une des plus petites mais également plus éclectiques et élitistes firmes d'avocats new-yorkaise, appréciaient cette vue imprenable.

À la barre, se trouvait un ami personnel et de longue date de Tom Carter : Joseph McCalister. Ce qu'il faisait n'avait jamais été très clair dans l'esprit de Christopher. Il ne semblait pas avoir d'emploi ou d'occupation stable ou exigeante, mais il était toujours habillé à la dernière mode et se promenait tantôt avec la nouvelle Porsche Carrera 911, tantôt au volant de la plus traditionnelle BMW 535i.

L'après-midi se déroulait selon les plans du départ, malgré un amoncellement inquiétant de gros nuages noirs à l'horizon. Soudain, un cri provenant de l'arrière du bateau alerta Christopher. Une vague de plus de 15 mètres de hauteur arrivait de nulle part et menaçait de renverser le voilier.

« Chris, va immédiatement aider Joseph à l'avant. Va vite en haut pour décrocher la grand-voile ! » hurla Tom. Christopher était paniqué. Personne ne bougeait. Tous semblaient paralysés et attendre qu'il les aide.

Agissant par instinct, il sauta sur le toit de l'habitacle et monta l'échelle du mât principal. Il en était à la quatrième marche, quand la vague le frappa de plein fouet. Il fut violemment expulsé du bateau, tous les autres voyageurs s'étant solidement cramponnés au navire en péril. Christopher sombra dans l'eau très froide et commença alors à suffoquer !

« Je ne veux pas mourir, NON !

– Chris, réveille-toi ! Réveille-toi !

– À l'aide !

– Tu ne meurs pas, Christopher. Tu es ici, avec moi, dit Guylianne. Allons, calme-toi. »

Il lui raconta l'histoire de son cauchemar. Il le mit sur le dos de la fatigue et du stress reliés à ses études. Dommage qu'il n'ait pas appris à interpréter les rêves...

Chapitre 10

Ah ! ce vendredi soir libérateur

« **A**llez ! Je te sors ce soir. Tu vas me foutre tous ces bouquins de côté et on sort danser ! fit Guylianne en entrant dans la chambre où Christopher étudiait depuis deux heures déjà.

– Danser ? Mais tu sais que je ne suis pas bon, fit-il, agacé qu'elle lui ait enlevé son livre des mains.

– Ce sera une belle soirée. Je te le promets. Jack et Maude seront là ! Gustave nous invite », lui dit-elle en lui décochant son plus beau sourire, sachant qu'il ne pouvait lui résister. Il n'en avait jamais été capable…

Elle était si gamine lorsqu'elle se laissait aller comme ça ! Il la prit dans ses bras, la regarda dans les yeux :

« Je t'aime, Guyl. Que je t'aime.

– Moi aussi je t'aime, Christopher. »

Ils s'embrassèrent tendrement et, l'espace d'un instant, ils oublièrent tout. Il lui caressa doucement la joue.

« Tu es douce comme une rose qui vient d'éclore », lui murmura-t-il à l'oreille.

Les yeux de Guylianne pétillaient de bonheur. Sa main se glissa dans celle de Christopher. Ses lèvres prenant soin de bécoter chacune de ses extrémités. Puis elle la guida sur sa poitrine, l'aidant à palper son galbe.

« Lorsque nous reviendrons de notre soirée, je suis sûre que je serai en grande forme... », lui souffla-t-elle d'une voix suave et sensuelle.

Christopher ravala sa salive, lui fit un sourire et courut se changer. Trois minutes plus tard il était prêt. Quelques instants plus tard, ils étaient en route vers le Cactus Salsa bar, une boîte branchée qui ne jouait que de la musique de type latino.

Il sortit en premier et s'empressa d'aider Guylianne, la prenant par la taille au passage. Il la regarda à nouveau et lui dit :

« Tu es la plus belle, la plus merveilleuse, et je suis le plus chanceux de tous... Je m'excuse à l'avance pour la façon dont tu vas marcher en sortant d'ici... tu vas avoir mal sur le dessus de tes pieds tellement je me serai gouré ! »

Ils se faufilèrent parmi la foule très dense du vendredi soir. Le cœur de Christopher battait la chamade. *« Elle m'en fait faire des choses cette Guylianne ! »* Ils se serrèrent la main afin de ne pas se perdre et finalement rejoignirent Gustave et ses amis, ainsi que Jack et Maude qui étaient avec eux.

« Allô, vous deux ! Je suis content de vous voir ! Je suis content d'enfin faire ta connaissance, ma chère Guylianne, et il paraît que tu as réussi à convaincre "Mr Perfect" ici présent de se laisser pervertir la semaine avant son "big exam" wouwouwou ! » s'exclama Gustave, en s'avançant vers Guylianne et en l'enlaçant dans ses bras enveloppants.

Il était visiblement d'excellente humeur et attendait tous ses invités avec impatience. Ils commandèrent leurs drinks et avant même qu'ils n'aient eu le temps d'en prendre une gorgée, une chanson joua…

« J'adoooore cette chanson !!! » lui cria Guylianne visiblement très excitée d'être dans ce club et de sortir de l'ordinaire. Sans dire un mot de plus, elle empoigna Christopher par le bras et l'entraîna sur la piste de danse.

Surpris, il se laissa emporter par son enthousiasme, se ferma les yeux et tenta de se remémorer tant bien que mal ses premiers cours de danse, alors qu'il n'avait que 17 ans « 1, 2, 3, 4 non, 1, 2… »

« Ne compte pas, tu vas tout gâcher ! Laisse-toi guider par la musique. Laisse-toi aller et ne prête pas attention à ce que les autres pensent...», lui dit Guylianne en lui tapotant le menton.

Maladroit, il entreprit de se laisser conduire par la musique. L'amour de Guylianne, son enthousiasme, les amis qui étaient là, le bon vin, tout contribuait à lui faire lâcher prise.

Ils eurent un plaisir fou! Ils ne faisaient plus qu'un avec la musique et survolaient littéralement la piste de danse. Christopher se découvrait des talents cachés.

Lorsqu'il revint auprès de Gustave et de ses invités, il se fit même taquiner sur le fait que s'il n'était pas accompagné par une si jolie femme, il se ferait sûrement *cruiser* par tous les beaux mecs de la place. Il prit cela pour un compliment!

«Je ne pensais pas te voir ici ce soir, lui lança Jack à tue-tête par-dessus la musique.

– Je suis surpris moi-même! répliqua Christopher avec un sourire resplendissant.

– Alors, Maude et toi... hummm? lui dit Christopher en lui donnant un coup de coude.

– C'est elle qui m'a téléphoné. Tu me connais. Je n'aime pas faire les premiers pas. Mais que veux-tu, avec mon charme, le téléphone ne dérougit jamais. Elle a été chanceuse que ma ligne ne soit pas occupée!

– Plus ça change, plus tu restes le même ! En tout cas, ces deux-là ont vraiment l'air de bien s'entendre. Regarde-les !

Effectivement, Maude et Guylianne ainsi que Gustave étaient en grande conversation et parlaient avec enthousiasme du talent de celle-ci. C'était comme si Gustave et Maude se donnaient le mot afin de la sortir de son petit atelier et de son petit monde.

« Tu n'as pas le droit de rester ainsi à te morfondre renfrognée dans ton coin, ma belle. Tu dois sortir de ta cachette, et j'aimerais que ma galerie soit la première à t'exposer.

– Comme je le disais à Maude, je ne sais pas si je peux produire à un rythme suffisant…

– Je ne te demande pas de produire un original par semaine, ma belle. Avec la technique que tu utilises, nous pourrons faire des tirages limités de très grande qualité et nos collectionneurs en seront ravis. Sois sans crainte, je connais les artistes et je sais comment vous traiter. Vous êtes des perles rares et il suffit de vous sortir de votre huître afin de savourer votre présence et votre nacre ! »

Maude et Guylianne s'esclaffèrent devant l'aisance et le côté extraverti et définitivement artistique de leur hôte. Guylianne était en train de lui dire qu'elle irait le voir d'ici quelque temps à sa galerie quand l'ambiance explosa.

« *Conga!* de Miami Sound Machine! Invite Maude à danser et moi j'y vais avec Guy! s'exclama Christopher qui commençait à se dégêner et à se laisser gagner par la magie de la musique latino, soudain animé de la sensation de vivre le moment présent...

Nos quatre larrons s'élancèrent sur la piste. Les mains dans les airs, suivant le rythme endiablé de cette chanson délirante. Se déhanchant furieusement, Christopher laissait sortir toute la tension accumulée au cours des derniers mois.

Son attention se porta sur sa compagne de vie et il eut une irrésistible envie d'elle. Continuant à se trémousser et à se déhancher de plus belle, il lui murmura :

« Je te remercie de m'avoir amené ici ce soir. Tu es merveilleuse... »

Il fit mine de l'embrasser, mais exécuta un demi-tour à la John Travolta, propulsant son bras droit dans les airs tout en gardant la mine solennelle d'un danseur professionnel en compétition. Elle pouffa de rire et ils continuèrent de danser pendant une bonne partie de la soirée...

Chapitre 11

Le poids de la richesse

« Comment allez-vous, madame Elliot?

– Pas trop mal et vous, monsieur Walker?

– On dirait que je flotte aujourd'hui. Je suis tellement soulagé d'avoir enfin écrit mon dernier examen pour mon titre de CFA. Je vais enfin pouvoir maintenant me concentrer sur le boulot à temps plein!

– Gardez-vous quand même un peu de temps pour votre charmante compagne! lui répliqua, sur un ton taquin, Mme Elliot qui avait remarqué la photo de Guylianne bien en évidence sur le coin de son bureau.

– Votre sagesse a une fois de plus vu juste, chère madame Elliot. Je lui ai promis d'être plus présent pour la prochaine année du moins. En autant que je réussisse l'examen, bien entendu, mais ça devrait aller. Parlons maintenant de vos placements. Le marché est très difficile par les temps qui courent, mais, heureusement pour vous, toutes vos économies sont désormais bien en sécurité dans des titres de revenus fixes et garantis.

– Mon mari était très conservateur, comme vous le savez. Il n'a jamais vraiment apprécié la Bourse avec tous ses soubresauts. Il s'est fait échauder deux ou trois fois par de beaux parleurs et il a fermé tous ses comptes avec eux. Enfin, grâce à vous, nous ne touchons plus à ce genre de choses ! Il ne me l'a jamais défendu formellement, mais je sais qu'il n'aurait pas aimé que je prenne des risques avec ce qu'il m'a laissé », lui répondit cette gentille dame qu'était Mme Elliot.

Elle était la plus fidèle et la plus aimée de toutes les clientes de Christopher. Son visage rayonnait de joie et de paix. Elle et son mari avaient visité une centaine de pays au cours de leur vie. Il était reporter pour une grande chaîne de télévision nationale et avait été affecté à de nombreux endroits à travers le monde dans sa longue carrière.

« Vous avez tout à fait raison, madame Elliot. Alors, que puis-je faire pour vous aujourd'hui que vous ne puissiez me dire au téléphone ?

– Je suis venue pour encaisser des bons du Trésor qui sont à l'abri dans votre chambre forte. Je voudrais que vous me fassiez une traite bancaire pour un montant de 100 000 $.

– Wow! C'est un gros montant que vous sortez tout d'un coup… Serait-ce indiscret de ma part de vous demander ce qui vous pousse à toucher une telle somme? »

Christopher était inquiet. Jamais auparavant Mme Elliot n'avait racheté un tel montant. Il ne lui connaissait aucune dette et elle semblait satisfaite de ses possessions matérielles actuelles.

Il savait également qu'elle n'était pas le genre de femme à dilapider futilement l'héritage de son défunt mari. Il ne voyait donc qu'une seule autre possibilité : un transfert de capitaux à un concurrent. Mme Elliot était une cliente très importante pour lui. Même s'il n'agissait qu'à titre d'assistant dans son dossier, il savait qu'un jour il pourrait revendiquer pleinement tous les honoraires que générait son compte.

« Je ne m'en vais pas chez un concurrent, si c'est ce que vous craignez, mon jeune ami. C'est mon "cher" Philippe qui est dans de beaux draps, et maman doit lui sauver la mise, comme son père l'a déjà fait plusieurs fois dans le passé », avait tristement lancé Mme Elliot. Christopher la sentit lasse et déçue. Que se cachait-il derrière cette histoire?

– La richesse n'a pas que de bons côtés, monsieur Walker. Quand vos enfants apprennent par toute la presse du pays que vous valez une fortune, ils se sentent obligés de vivre à la hauteur de leurs "futurs moyens". Philippe est en train de dépenser l'héritage de son père et de sa mère, et il ne semble même pas vouloir attendre que nous soyons tous deux décédés. On dirait bien qu'un seul suffit...

— Je suis désolé d'entendre cela, madame Elliot. Je ne voulais pas entrer dans une partie aussi intime de votre vie privée...

— Ça va, mon jeune ami. Je suis même contente de vous en parler. Je me sens un peu ridicule d'agir de la sorte, et à vrai dire, je ne sais trop à qui me confier. Tout se sait à New York, et particulièrement dans le milieu des médias. Je ne voudrais pas qu'un journal à potins ou un reporter mal avisé se fasse raconter cette histoire. Alors je me tais... Mais je sais qu'avec vous je suis en confiance...

— Je vous remercie beaucoup pour la confiance que vous me portez, Mme Elliot. Soyez assurée que nous continuerons à tout faire afin de protéger votre vie privée.

— Si seulement Philippe pouvait être un peu plus comme vous, monsieur Walker. S'il était question de vous, je n'hésiterais pas à vous aider à démarrer votre entreprise ou à vous confier personnellement cette somme. Vous semblez tellement responsable. Mais pour ce qui est de Philippe, on dirait qu'il n'a pas grandi. Il n'a terminé aucun des cours auxquels il s'est inscrit. Il a été évincé de trois universités au cours des quatre dernières années. Je ne sais plus quoi faire avec lui. Mon mari réussissait à lui imposer une certaine discipline, mais depuis que Le Seigneur l'a rappelé à Lui, je me sens bien seule, et bien diminuée devant cette situation. »

Christopher ne savait que répondre. Comment agirait-il s'il se savait le futur héritier d'un empire de 50M $? Il prenait conscience pour la première fois que ce qui le motivait au fond c'était son désir d'être bien davantage que ce qu'il était et surtout de s'ingénier à ne pas répéter un passé qu'il avait de la difficulté à digérer.

Pouvait-on tout tenir pour acquis et tout envoyer valser aussi facilement ? À l'analyser froidement, ce Philippe avait tout selon lui : un nom célèbre, la fortune, la beauté, et il flambait cet argent avec désinvolture, tout en faisant des difficultés à sa pauvre mère.

C'était difficile pour Christopher de s'imaginer ce genre de comportement. Il lui semblait que s'il avait été à la place de Philippe, il aurait été comblé et il n'aurait pas tout bousillé de cette façon.

Chapitre 12

Est-il bon d'écouter aux portes ?

Il se sentait comme l'agent 007[1] ! Il avait trouvé le code d'accès secret et le numéro d'une importante conférence téléphonique et maintenant il entendait l'un des interlocuteurs :

« Ça va être l'affaire du siècle. Lorsque les gens de l'industrie vont savoir cela, les actions vont monter en flèche. On va faire des millions. Alors il est défendu d'ébruiter cette affaire. Il ne faut surtout pas avoir la S.E.C.[2] sur le dos. C'est trop gros et il y a trop d'intérêts importants en jeu pour que nous nous fassions pincer.

---

1. Héros des romans d'espionnage de Ian Fleming (Londres 1908 – Canterbury 1964). Agent secret, séducteur infatigable, il fut popularisé au cinéma par Terence Young, notamment dans *James Bond 007 contre Docteur No (1962)*, avec tour à tour Sean Connery, Roger Moore et d'autres acteurs renommés dans la peau de cet agent secret.
2. Commission des valeurs mobilières des États-Unis.

Voilà la réponse que Christopher attendait! M. Greenfield avait raison: lorsque l'on sait quoi faire avec un renseignement, il n'en faut pas beaucoup plus pour procéder. Il serait plus intelligent que la moyenne, aurait de meilleurs rendements, et il se retirerait avant tout le monde. Son plan était si simple... au début...

Il avait déjà gagné. Il avait déjà réussi d'autres transactions. Il pouvait se refaire...

La décision avait été prise et le moyen avait été trouvé. Suivre les traces de ceux qui savent. Faire comme ceux qui gagnent. Épier leurs faits et gestes, acheter quand ils achètent et vendre lorsqu'ils vendent. C'était un secret de polichinelle, dans le milieu financier, que les initiés transigeaient avec une longueur d'avance sur certains titres dont ils connaissaient les moindres coutures. Mais comment entrer dans ce monde?

Et vlan! Voilà que la Providence lui présentait une occasion en or sur un plateau d'argent. Eh oui, de l'or servi sur de l'argent... Il remplaçait son patron pour un dossier et le client en question s'avérait être de la «clique». Le type parfait. Le futur *deal* idéal. La surprise qu'il ferait à Guylianne, à ses parents, à tous ceux qui le connaissaient. Il visualisait déjà les visages verts de jalousie lorsqu'il serait au volant de SA BMW!

Finalement, toutes ses lectures portaient des fruits. La pensée peut vraiment créer. Jack resterait coi. C'était bien ce qu'il faisait… mais une petite voix tentait de se faire entendre à l'intérieur de lui… Ne voulant pas l'écouter, il l'attribuait à des résistances provenant de son passé. Il croyait que son cerveau lui envoyait des messages contradictoires et qu'il devait les ignorer.

Il refusa d'écouter ces petits signes et il prit une autre décision : Il n'en parlerait à personne. Aucune influence. Il prenait toute sa vie en main. Il ferait la surprise à Guylianne. Il pourrait enfin la gâter ainsi que tous ceux qu'il aimait, comme cela aurait toujours dû être.

Les images se succédaient dans sa tête. D'un côté, il se percevait riche, vivant dans une de ces maisons de trois étages dans lesquelles il avait aidé son père à installer des systèmes d'alarme lorsqu'il n'était encore qu'un adolescent. Il se voyait relax, arrivant de travailler et sans soucis financiers.

D'un autre côté, il se sentait coupable, cupide et pauvre d'esprit d'être obligé d'avoir recours à de tels stratagèmes pour arriver à ses fins.

« Les affaires sont une jungle, Christopher. Il n'y a pas de place pour ceux qui arrivent deuxièmes ». « Les bons gars finissent derniers[3] » ne cessait de lui répéter Tom Carter, son patron. « En affaires, pas d'amis ».

---

3. Traduction libre de l'expression « good guys finish last ».

C'était comme s'il n'avait pas le choix. Comme s'il lui fallait exploiter son prochain pour atteindre ses buts. La vie est-elle une jungle? Je me serais probablement posé cette question si j'avais vécu et travaillé à Manhattan...

Chapitre 13

La goutte qui fait déborder...

« **A**llez monte, monte! Tu ne peux pas me faire ça! Je sais que tu peux monter plus haut! Tu ne peux pas rester là... Je vais tout perdre à cause de toi. »

La voix de Christopher se faisait pressante. Des gouttes de sueur perlaient sur son front. Le marché était en chute libre et toutes ses positions étaient en forte baisse. Une nausée violente l'envahit. Que se passait-il? Était-ce la poisse du vendredi 13?

Rivé à son écran, il regardait s'envoler ses économies. Il était paralysé. Il devait tout risquer s'il voulait tout gagner. Il avait tout risqué et il était en train de tout perdre.

Il devait trouver une solution rapidement, car la fermeture de la Bourse approchait et il lui fallait couvrir ses pertes.

Soudain, la série de coïncidences des derniers jours commença à prendre une nouvelle forme dans son esprit. M. Greenfield qui lui parlait des petits «trucs» de son patron, et lui mentionnait la compagnie Blueswing et cette date du lundi 16 février, en lui disant, presque comme une faveur: «Quand on sait quoi faire avec un renseignement, il n'en faut pas beaucoup plus pour que ce soit payant...»

Sur ces recommandations, il avait fait des recherches... et découvert la tenue d'une conférence téléphonique à laquelle il avait assisté incognito.

Puis cette voyante qu'il avait rencontrée par hasard à la suite de son pari perdu qui prédisait «un nuage d'ennuis» en le regardant droit dans les yeux et en affirmant: «Je sais que ce sera l'argent qui sera au cœur du litige». En outre, elle avait bien pris soin de préciser que ce serait «à la prochaine fête des amoureux». Même s'il ne voulait pas croire à ce genre de choses, il avait senti un tressaillement intérieur lorsqu'elle avait prononcé ces paroles.

Et ce rêve très intense dans lequel il se retrouvait sur un bateau invité par Tom Carter, mais incapable de les aider ou de rester à bord, alors que tous les autres y étaient parvenus. Il en était mort ou presque dans son rêve. Avait-il l'étoffe des vrais? Serait-il en mesure d'assurer ses arrières s'il y avait une tempête?

Et enfin Mme Elliot, sa plus charmante cliente, qui lui lançait en pleine entrevue qu'elle n'hésiterait pas à investir en lui.

Il prit donc une décision lourde de conséquences : il emprunterait temporairement les bons du Trésor au porteur de Mme Elliot. Elle ne s'en rendrait pas compte, car elle n'allait pratiquement jamais dans la chambre forte. Son mari avait acheté ces bons il y a de cela plusieurs années et les taux d'intérêt étaient fantastiques à cette époque. Aussi, ne les transigerait-elle pas avant leur échéance, soit dans deux ans, ce qui donnait amplement le temps à Christopher de se refaire.

De plus, ce coup de veine et cette confidence de Tom Carter lui avaient permis de connaître l'emplacement de la clé ainsi que les codes d'accès à la chambre forte. Il ne croyait pas au hasard et voyait dans cette occasion un signe que le destin le soutenait dans sa démarche.

Il était honnête, mais il était contraint à ce moyen, car l'autre choix, tout avouer à Guylianne et perdre tout ce qu'il avait amassé, n'était pas une option valable. Il choisissait l'amour... à sa manière...

Il descendit donc les trois étages séparant son bureau de celui du coffre-fort. Règle numéro un : il ne devait être vu de personne. Christopher attendit le moment opportun pour s'introduire, soit à la pause-café. Tous les employés du service, y compris Joanne, allaient prendre une collation l'après-midi ensemble, au bas de la tour dans un endroit fort agréable, près de la fontaine centrale. Lorsque tout le monde eut pris l'ascenseur, il se faufila, tel un agent secret en mission.

Muni du code d'accès et du numéro de dossier de Mme Elliot, il se glissa à l'intérieur de cette forteresse. Elle était faite d'un bloc, coulée à même les fondations de l'immeuble. Le jour, une simple porte métallique, rappelant celle des cellules de prison, empêchait d'y entrer librement. Les clients qui en avaient l'autorisation pouvaient ainsi y accéder facilement, ainsi que les personnes autorisées par la direction.

« Numéro 16785, voilà. Je l'ai ! » Christopher glissait lentement la clé dans la serrure du coffret quand une petite voix lui souffla soudain à l'oreille :

« Qu'est-ce que tu es en train de faire, Christopher ? Tu t'apprêtes à dérober le bien d'autrui pour te sauver de tes propres erreurs. Ne fais pas ça ! »

Il en eut à ce point le souffle coupé qu'il faillit en échapper la clé. Hésitant, il se questionna :

« *Suis-je vraiment en train de commettre l'irréparable ? J'entends des voix dans ma tête ! Suis-je en train de devenir cinglé ?* »

Reprenant ses esprits, et serrant la clé dans ses mains de plus belle : « *Non, tais-toi. Je ne me laisserai pas berner par mes peurs. Je vais aller jusqu'au bout. Je suis déjà mouillé jusqu'au cou de toute manière. Qu'est-ce qui peut m'arriver de pire que de devoir tout dire à Guylianne et de tout perdre ?* »

Au moment même où cette pensée traversa son esprit, il entendit le rire caractéristique de Joanne qui sortait de l'ascenseur. « Non, ce n'est pas possible, la pause n'est pas déjà terminée ! Le bruit de ses souliers à talons hauts résonnait de plus en plus fort, démontrant qu'elle s'en venait d'un pas ferme vers son bureau, situé à quelques mètres seulement de l'entrée de la chambre forte.

Christopher se sentit pris au piège, tel un enfant que sa mère surprend la main dans la jarre à biscuits tout juste avant le dîner ! D'instinct, il chercha un endroit pour se cacher derrière une grosse étagère métallique remplie de boîtes. Il s'accroupit, retint son souffle et attendit. De longues minutes passèrent et Joanne restait à son bureau à répondre au téléphone et à travailler sur des dossiers. Enfin, c'est ce que Christopher jugeait qu'elle faisait, caché dans son abri de fortune.

Il cherchait un moyen de s'en sortir. Comment pourrait-il se dégager de cette situation sans attirer l'attention et sans être assailli de toute une série de questions embarrassantes ? Nerveux, il palpa machinalement ses poches de veston. De ses mains il jouait avec la clé de la chambre forte. *« Il faut que je m'en débarrasse, je ne suis pas supposé l'avoir en ma possession »*, se dit-il de plus en plus inquiet et en sueur. Il la déposa donc bien en vue sur la table servant à la consultation et au tri des dossiers, au beau milieu de la pièce. Il se dit que Joanne la verrait et croirait à un oubli de sa part. C'était déjà un début.

Puis, il baratinerait quelque chose à propos du dossier Greenfield et ferait semblant d'être confus, sortirait en deux temps, trois mouvements et tout serait revenu à la normale… « Mais non ! Ça ne peut pas fonctionner ! Comment parviendrait-il à quitter la pièce avec les bons du Trésor ? C'était précisément la raison pour laquelle il avait pris ce risque !

« Jack ! Il faut qu'il me sorte de cet impair… », se dit-il en enfonçant la touche-mémoire de son portable. L'appel fut lancé… mais en vain, car l'épaisseur des murs de cette chambre forte empêchait les ondes de passer.

« Je vous assure, monsieur Carter, je la range toujours au même endroit dans mon tiroir. Je ne la trouve pas et je dois m'en servir pour la fermeture le vendredi. »

Le sang de Christopher se figea. « M. Carter est ici ! Mon patron est ici, tout juste à deux pas ! » marmonna-t-il en se recroquevillant encore plus sur lui-même, mais en gardant toujours un œil sur le milieu de la pièce à scruter au travers des boîtes qui le dissimulaient.

Puis, tout se passa très rapidement. Il vit comme au ralenti Joanne entrer dans la chambre forte accompagnée de Carter. Elle semblait confuse et lui furieux, lorsqu'elle découvrit la clé qui gisait là, comme par magie, sur la table. Humiliée devant son patron, Joanne s'empressa de sortir de la pièce et de fermer la porte à double tour, pour le week-end…

Chapitre 14

Enfer... mé...

La porte était maintenant fermée. Incroyable! Comment était-ce possible? Il était emprisonné. Incapable de sortir. Il cria à s'époumoner. Aucun son ne s'échappait. Tout demeurait totalement enfermé en dedans.

Frustré, il cogna sur la porte, il la frappa de toutes ses forces. L'impact de ces coups était si violent que ses poignets se mutilèrent et saignèrent, mais il continua à frapper, à cogner et à hurler en vain.

– Laissez-moi sortir! Je ne veux pas mourir ici, je veux vivre! Je regrette d'être entré par infraction!»

Christopher étouffait. L'air extérieur lui manquait déjà. De repenser au bruit sourd de la porte qui s'était refermée sur le monde extérieur le faisait frémir. Il était enfermé... IL S'ÉTAIT ENFERMÉ! Sa témérité, son audace, son refus de s'avouer vaincu l'avait conduit là.

Il se sentait piégé. Était-ce une conspiration des forces du mal ? Était-ce un châtiment de la Vie afin de lui servir une leçon ? Le destin pouvait-il être cynique à ce point ? Le confiner parmi les richesses des plus influents de ce monde, entre les possessions des gens les plus en vue de la planète. Quand bien même il pouvait mettre la main sur ces papiers apparemment très importants, qui pouvait lui venir en aide maintenant ? Tout était à sa portée, mais il était impuissant à jouir de ce pouvoir, il était totalement désarçonné.

Il se rendit compte de la situation et il déconnecta, si bien qu'il perdit le contact avec la réalité. Son esprit, son intelligence, n'exercèrent plus pendant un moment de contrôle sur sa personne. À grands coups de pied, il décida de passer toute sa frustration des derniers jours sur les caisses de documents, les étagères et tout ce qui pouvait bouger. Les boîtes tombèrent lourdement des tablettes et leur contenu s'éparpilla dans un fouillis total.

Il ne réfléchissait plus. Il laissa sortir toute sa fureur, son impuissance, sa colère. Il explosait comme une bombe atomique : de l'intérieur. Malgré toute l'énergie que déployait ce « champignon géant », cloîtré entre les cloisons de ces murs, il ne fit aucune victime.

Après avoir évacué toute sa fureur, il s'effondra par terre à la fin, épuisé, vidé. Ce fouillis innommable, cette catastrophe inimaginable, sa tristesse incroyable créaient un mélange qui, pour Christopher à ce moment-là, représentait l'enfer sur terre. Il souffrait. Il était seul et personne ne le savait là. Son environnement inhabituel était saboté, son avenir compromis. Oh, mon Dieu! et maintenant que ferait-il?

La peur et l'angoisse l'envahirent tout de suite après sa colère. Qu'avait-il fait? Il ne se le pardonnerait jamais! Il avait tout gâché. C'était la fin. Il perdrait son emploi. Après une aventure de ce genre, le degré de tolérance de Guylianne atteindrait un seuil limite. Il serait un paumé de la pire espèce: un paumé talentueux. Quelqu'un qui a eu la chance de s'en sortir un jour, mais qui a tout fait échouer, qui a tout bousillé.

Et Christopher pleura amèrement… Combien de temps cela dura-t-il? Il ne pouvait le mesurer, ni l'évaluer vraiment, car tout était sombre. Les larmes perlaient sur ses joues. Il versa plus de larmes ce jour-là qu'il n'en répandit au courant de toute sa vie. Après un temps, les massages répétés des secousses provoquées par le surplus d'émotions se transformèrent en calme. Il était exténué, fatigué de cette journée qui avait si mal commencé et qui ne finirait sûrement pas vraiment bien.

Replié sur lui-même, Christopher adopta la position du fœtus. Il hoquetait comme le fait un enfant après avoir pleuré pendant des heures. À la différence que l'enfant peut se recueillir dans les bras de ses parents pour se sentir réconforté. Ce soir-là sur Wall Street, un vendredi 13, un futur CFA s'était enfermé involontairement à l'intérieur de l'un des coffres-forts les plus prestigieux de New York.

Il devait se bercer par lui-même. Personne n'était auprès de lui afin de mettre un baume sur ses souffrances. Un sentiment d'impuissance l'envahit. Il n'avait jamais ressenti un tel dénuement auparavant. Il avait beau crier à tue-tête, hurler très fort au point de s'essouffler, personne ne l'entendait. Seul. Il était terriblement seul.

Pour la première fois de sa vie, il n'avait nulle part où se réfugier. Même pas de musique ! Ce n'était jamais le silence autour de lui. La télé, la radio, le lecteur CD, tous ces appareils contribuaient à son bien-être sonore… et intérieur. Lorsque la solitude lui pesait trop lourd, le téléphone devenait son allié. Sept chiffres à composer et il entrait en contact avec un être qui lui était cher.

Mais pas aujourd'hui. Même son cellulaire dernier cri ne pouvait le relier au reste du monde. Seul… Face à lui-même… pour les 62 prochaines heures. Peut-on survivre si longtemps, isolé ?

Son esprit errait. Désespéré. Que pouvait-il regarder ? Tout était noir autour de lui. Où trouverait-il la force de surmonter une épreuve comme celle-là ? Il fallait bien qu'il trouve les moyens, les ressources, mais où ? Il avait souvent entendu parler ou lu des ouvrages sur « la force à l'intérieur de soi » et maintenant il l'attendait…

«Où est-elle cette force dont on parle tant? Serait-elle incapable de franchir les murs de ce coffre-fort? Est-ce une force qui est donnée uniquement à ceux qui ont tout? À ceux qui ne tentent pas de voler leur prochain comme moi je l'ai fait?

Il sanglota à nouveau. Qu'avait-il fait? Comment pouvait-il s'être conduit de la sorte et penser que tout irait bien? Cette situation était pire que la prison pour Christopher, car tout le monde ignorait où il était. Il était le seul à savoir où il se trouvait. Il était le seul à pouvoir se sortir de là.

Chapitre 15

La peur revisitée

Même si les dernières semaines avaient été pénibles, Guylianne espérait recoller les morceaux en ce vendredi soir. Tout d'abord, vers 18 h 00, elle avait blâmé l'affreux trafic du week-end pour son retard.

Guylianne tournait en rond dans leur appartement. Le souper d'amoureux qu'elle avait concocté en cette veille de la Saint-Valentin était gâché depuis quelques heures déjà.

Elle avait cuisiné tout l'après-midi, voulant surprendre Christopher à son arrivée du bureau. Elle voulait également discuter avec lui du nouveau défi qu'elle s'apprêtait à relever au niveau de sa carrière.

« Mais où est-il? Pourquoi n'a-t-il pas au moins eu la décence de me téléphoner? Il ne m'a rien mentionné pour le week-end, mais chaque année, nous avons notre petite soirée spéciale et intime, pour nous deux seulement. Je ne peux pas croire qu'il l'ait oubliée.

Il était maintenant 21 h 30 et elle sentait, elle savait, que quelque chose n'allait pas. Elle avait téléphoné à Jack, chez lui, pour apprendre qu'il avait pris congé aujourd'hui et n'avait pas eu de nouvelles de Christopher non plus.

Elle avait même poussé son audace jusqu'à fouiller dans les affaires personnelles de Christopher afin de trouver les numéros de téléphone de ses autres collègues à leur résidence.

Après plusieurs tentatives infructueuses, elle avait rejoint Joanne. Celle-ci lui avait dit qu'elle l'avait vu à son bureau pendant une bonne partie de la journée.

« La dernière fois, se souvenait-elle, que je l'ai rencontré, il devait être 14 h 30. Il n'avait pas l'air dans son assiette. Il sortait de la salle de bain et était très pâle, lui avait-elle raconté, visiblement inquiète.

« *Est-il trop tôt pour téléphoner à la police et aux hôpitaux ?* se disait-elle à haute voix. Elle se sentait ridicule et paniquée... « *Voyons, voyons,* pensait-elle, *il va rentrer à la maison d'une minute à l'autre et il va m'expliquer ce qui s'est passé... à moins que... non, ce n'est pas possible... pas lui...* »

Chapitre 16

Un personnage mythique...

Un homme enfermé. Seul vis-à-vis lui-même. Tout un week-end cloîtré dans une chambre forte remplie de trésors. Il s'esclaffa devant l'absurdité de la chose. Il faisait face à la mort, il criait... personne ne l'entendait.

Même s'il ne pouvait les voir à cause de l'obscurité, il était entouré de tous ces documents officiels, tout cet argent qui appartenait à des gens qui le gardaient précieusement dans ce coffre-fort, alors qu'à l'autre bout du monde des gens meurent de faim. Et surtout qu'il pourrait très bien mourir de faim, LUI, et se retrouver sur la paille en sortant de là, le lundi matin... S'il réussissait toutefois à se rendre jusqu'à lundi matin...

Il s'amusait à ouvrir et à fermer ses yeux dans cette noirceur envahissante. Enfin, il pourrait dormir sans se faire réveiller par un rayon de lumière ! Grâce à sa mémoire mentale de l'intérieur du coffre-fort, il avait réussi à se déplacer et à aller chercher deux poches de documents qui lui servaient à présent de coussins pour qu'il puisse avoir une position confortable.

Il flottait entre des états d'euphorie et de détresse intense. Le silence et l'obscurité criaient leur présence. Il avait recours à son imagination et essayait du mieux qu'il le pouvait de contrôler sa respiration et ses pensées. Il repensait à sa Guylianne. Il se voyait auprès d'elle, marchant sur une plage des îles Fidji par une superbe journée ensoleillée...

* * *

– Let me in ! Laisse-moi entrer ! Je t'en prie ! J'ai peur dehors ! »

– Qui est là ?

– Laisse-moi entrer ! Pas le temps de te dire qui est là ! Tu n'as pas à avoir peur. Je suis haut comme trois pommes.

– Ça va, montre-toi. »

Alors, une drôle de créature se manifesta. Un petit être potelé, aux joues rouges, les cheveux bouclés et nus pieds... en plein hiver ! Mais ça ne semblait pas le gêner. Étonnant ? Non, car il ne marchait pas... il flottait au-dessus du plancher

Christopher croyait qu'il était devenu fou. À vrai dire, il ne croyait pas qu'il était fou. Il « savait » qu'il était fou. Il avait finalement craqué. Le stress intense des dernières semaines, rajouté à l'alcool et à ses habitudes alimentaires déficientes, tout cela avait fait le boulot. Il hallucinait vraiment.

Il avait entendu ses amis de jeunesse lui parler de «délire sur les drogues dures» et des araignées que certains voyaient envahir la pièce et courir sur leur ventre; mais lui, il voyait une créature qui portait une couche et qui flottait au-dessus du sol. Navrant. *«Une si belle carrière… et maintenant ils vont m'enfermer…»*

«Hé! l'ami! Hé! Ho! Ça va? Tu me sembles bien pâle?

– Et il me parle en plus! Il veut que je lui fasse la conversation. Je vais l'ignorer. Non. Plutôt je vais lui dire de partir… mais je ne peux pas, je suis enfermé ici. En fait, comment est-il entré? Il n'y avait pas de porte et celle du coffre-fort est fermée pour le week-end?

– Tu calcules fort, l'ami? Serais-tu surpris de me voir ici?

– Si je suis surpris? Tu me demandes si je suis surpris? Mais tu n'es même pas ici. Tu es le fruit de mon imagination. J'ai fait une "overdose" de stress et maintenant je paie pour mes abus. Ma mère m'avait pourtant prévenu…

– Elle t'avait prévenu que des petits êtres comme moi t'apparaîtraient si un jour tu te retrouvais coincé dans un coffre-fort pendant tout un week-end ? Elle était voyante, ta mère ?

– Non. Elle m'avait dit qu'un jour, à force de me surmener, je finirais par craquer et par comprendre...

– Ah bon ? Et j'imagine que ce n'est pas le style de ta mère de s'enfermer dans un coffre-fort ?

– Non, pas vraiment. Elle est plutôt le style plein air, si tu vois ce que je veux dire. Elle ne mange idéalement que de la nourriture bio, et de préférence qu'elle cultive elle-même.

– Parlant de bouffe, tu n'as rien à manger ?

– Non, à moins que tu ne veuilles te farcir la pile de documents là-bas ! »

Christopher éclata de rire. L'invraisemblance de la situation le détendait. Il faisait la conversation à cet être, sorti droit de son imagination, et ça le calmait. Il se sentait moins seul et il avait l'impression que le temps passerait plus vite jusqu'au lundi matin s'ils discutaient ensemble. Il était en extase devant la réalité de cette apparition.

« C'est incroyable que je puisse imaginer des formes avec autant de précision ! Et même si je me rends compte que ça provient de mon imaginaire, ça demeure quand même là !

– Je préférerais que tu me donnes un autre nom que « Ça » J'ai l'impression que tu me crois sorti tout droit d'un roman de Stephen King !

– Comment veux-tu que je te nomme, charmant petit compagnon joufflu ? »

L'étrange petit personnage fit mine d'ignorer la question.

« Pourquoi cette fuite en avant continuelle, Christopher ? Pourquoi cherches-tu toujours à prouver à tout le monde que tu peux y arriver ?

– Je ne sais pas…

– Pourquoi t'en remets-tu toujours au lendemain ? Pourquoi confies-tu à l'avenir le soin de s'occuper de ton bonheur ? Pourquoi n'es-tu pas capable d'être heureux ici même, en ce moment ?

– Tu en as de bonnes, toi ! Je suis pris dans ce coffre, je suffoque. Je suis seul. Je n'ai pas de musique à écouter. Je n'ai rien à manger. Je n'ai rien à faire et tu voudrais que je sois heureux ?

– Est-ce que ce serait si différent si tu vivais dans un château à Beverly Hills ou à Manhattan ?

– Bien sûr ! Quelle question !

– Qu'est-ce qui te rend heureux, Christopher ? Qu'est-ce qui fait en sorte que ta vie vaut la peine d'être vécue ? »

Christopher ravala doucement. Cette fois, la réponse n'était pas sortie aussi rapidement. De quoi avait-il peur dans ce cachot ? Quels étaient les états d'esprit qu'il appréhendait tant ? Que tentait-il d'endormir depuis toutes ces années ?

Le manque d'eau, de nourriture et d'oxygène commençait à avoir un effet sur ses réactions. Les images se succédaient à une vitesse vertigineuse sur la toile de son esprit. Il se revoyait alors qu'il n'avait que 13 ans, à sa première année du secondaire, sa mère tentant de le protéger du mieux qu'elle le pouvait de la société moderne.

Il était entré en contact avec la dure réalité d'aujourd'hui : si tu ne te conformes pas, tu es exclu. En fait, ce principe n'est pas vraiment moderne : il est aussi ancien que l'apparition de l'homme sur cette planète. Mais pour un adolescent de 13 ans, le choc des valeurs avait été trop dur à supporter.

« Ça m'attriste de te voir dans cet état.

– Ne sois pas triste. Je crois que je m'y suis habitué. Aujourd'hui, c'est juste plus évident. On dirait que je me suis enfermé dans ma propre tombe. Ça en est presque drôle ! Tu connais le vieil adage qui dit que "le coffre-fort ne suit pas le corbillard" ?

– Oui, bien sûr que je le connais.

– Eh bien je crois que dans mon cas, le coffre-fort EST le corbillard.

– Tu ne penses tout de même pas que tu vas mourir ici ?

– Pourquoi pas ? Qu'est-ce que ça changerait vraiment ?

– Tu me donnes des frissons. La Vie est un cadeau. Tu dois apprendre à l'apprécier, à changer ta façon de regarder les choses. Pourquoi crois-tu que les gens utilisent le coffre de cette banque ?

– Parce qu'ils veulent mettre en sécurité ce qui leur est le plus cher. Ils veulent le protéger des voleurs et du feu.

– Imaginons maintenant qu'ils prennent tout ce qui vaut vraiment quelque chose pour eux, tout ce qui compte, et que, par peur de se le faire voler ou de le perdre, ils viennent ici pour le cacher. Est-ce une bonne idée ?

– Pourquoi pas ? Tu as vu cette chambre forte ? Je crois que même un tremblement de terre ou une guerre atomique n'en viendrait pas à bout. Alors, je pense que oui, toute personne sensée qui possède des biens très précieux serait avisée de les faire déposer ici.

– D'accord. Imaginons maintenant que cette personne a vraiment peur de se faire voler et qu'elle ne fasse confiance à personne. Elle cache la clé dans un endroit impossible à trouver et efface toute trace de son voyage à la banque. Que risque-t-il de se passer ?

– Eh bien, je suppose que si elle meurt, ses richesses, ses secrets, tout ce qu'elle a accumulé, risque de demeurer dans les coffres de la banque pour bien des années !

– Bien des gens possèdent de grandes richesses en leur coffre-fort intérieur, secret. Il est situé dans un endroit impénétrable et bien protégé : au tréfonds même de leur être. Certains en ont perdu la clé. D'autres ont une clé en leur possession, mais ils ne savent même pas ce qu'elle ouvre. Et d'autres encore ne se souviennent plus qu'avant, ils disposaient de grandes richesses, et ils vivent désormais comme des pauvres, des misérables, des mendiants. »

Christopher s'arrêta un moment. Cupidon (c'est ainsi qu'il l'avait nommé intérieurement) marquait de bons points. Pour un être sorti tout droit de son imagination, il était obligé d'admettre qu'il se défendait fort bien… Il était presque crédible ! Quelles réflexions sur sa vie ! Quelles prises de conscience sur tous ses secrets qu'il gardait silencieusement en dedans. Christopher avait tellement peur d'être pris en défaut, de ne pas être à la hauteur… de ne pas être aimé…

Chapitre 17

Quand le Valentin dévoile
son vrai visage

À plat ventre sous un bosquet, Guylianne cherchait Shiva qui s'était échappée... encore. Ayant des réflexes de... féline, elle profitait de chaque occasion qui lui était donnée pour explorer l'extérieur. Une fois, elle n'était revenue qu'au bout d'une longue et interminable semaine, ce qui avait plongé Guylianne dans tous ses états. En d'autres occasions, elle ou Christopher ou un de leurs voisins avaient toujours pu la rattraper.

« Shiva ! Où es-tu ? Shiva ? Allez, ne me laisse pas tomber, toi aussi ! » criait Guylianne en parcourant le petit parc en face de chez elle... Un samedi soir de Saint-Valentin ! Guylianne ne trouvait pas cela drôle d'avoir à s'inquiéter de Shiva en plus de ce qui se passait dans sa vie.

Elle avait fait du ménage toute la journée. Elle se disait que si elle frottait ses meubles une autre fois encore, elle passerait à travers! Nerveuse, elle ne pouvait se faire à l'idée que Christopher l'abandonnait ainsi. Pas de cette manière. Pas après tant d'années. Puis, cette Shiva qui se sauvait dans son dos.

Elle connaissait ce sentiment de vide. Cet effroyable silence. Ce sentiment qui perdure lorsque plus rien ne reste. Mais aucun n'avait de commune mesure, ou ne pouvait être comparé à l'intensité de la perte d'un petit ange, d'une petite puce, d'un être si délicat et fragile. Rien n'arrivait à la hauteur de ce qu'elle avait ressenti lorsque sa fille Élodie était brusquement retournée au pays des siens, là où vivent les anges...

Elle n'avait jamais été seule à la Saint-Valentin depuis la perte d'Élodie. Mais ce samedi-là, personne n'était à la maison. Toutes ses connaissances étaient sorties, y compris Maude et Jack qui tous les deux ne répondaient pas depuis hier...

Déprimée, Guylianne se tourna vers une activité qui lui avait déjà par le passé sauvé la vie. Elle sortit sa cire et ses instruments de sculpture. Elle se lançait à l'assaut de la matière brute et sans forme.

Elle se sentait ainsi ce soir. Elle était morte d'inquiétude et avait téléphoné à tous les hôpitaux environnants ainsi qu'à la police. L'automobile de Christopher était encore dans son espace de stationnement. Son répondeur automatique entrait en fonction dès que l'on tentait de le rejoindre sur son portable. Hormis Joanne, aucun autre collègue ne l'avait vu depuis vendredi après-midi.

Elle sentait qu'elle avait fait ce qui était en son pouvoir, et maintenant il ne lui restait plus qu'à attendre. Peut-être arriverait-il à l'improviste ce soir avec une histoire abracadabrante à raconter, qu'elle le comprendrait et que finalement elle s'en serait fait pour rien.

Elle contempla ses œuvres, disposées dans différents endroits de leur demeure. Elle repensait à ce que Maude et Gustave lui avaient dit : « Tu n'as pas le droit de priver les gens de ton talent... »

Utilisant la technique qui lui avait été apprise afin de venir à bout des souffrances qu'elle subissait à force de penser à la perte de son petit ange, Guylianne prit le temps de respirer. Elle entra dans un état méditatif et visualisa un endroit plein de lumière, un lieu paradisiaque où les petits anges vivent éternellement.

Elle se laissa imprégner de cette atmosphère relaxante et apaisante. Des images lui venaient en tête. Lentement elle traça son nouveau projet : « *Un autre petit ange sans visage verrait le jour* », se disait-elle.

Les heures passèrent et elle s'absorba complètement dans son travail. Elle se sentait en état de grâce. Elle n'avait plus conscience de l'espace-temps. Elle vivait ici et maintenant et elle créait. Elle n'avait jamais compris tout à fait ce qui provoquait ces moments, mais elle les accueillait avec gratitude et bonheur.

Perdue dans ses pensées, elle entendit une voix toute légère lui souffler à l'oreille : « Fais-moi un visage… » Un frisson lui parcourut tout le corps. Elle sentait une douce chaleur l'envelopper. « Fais-moi un visage… »

Sans trop réfléchir, elle laissa ses mains agiles façonner la cire. Ses mains travaillaient en mode de pure inspiration, comme guidées par une force créatrice au-dessus de ses connaissances. La Vie prenait forme devant elle ce soir…

Chapitre 18

Diviser en deux… ou trouver l'unité ?

Il avait tout caché. Tout verrouillé à double tour. Mais comment s'en sortir ? Cette chambre forte s'ouvrait de l'extérieur uniquement. Mais pour l'être humain, n'est-il pas dit que tout doit venir de l'intérieur ?

« Je ne comprends pas pourquoi je me retrouve enfermé ici ?

– Peut-être avais-tu besoin de t'arrêter un peu ?

– J'aurais préféré un voyage dans le Sud !

– T'aurait-il vraiment permis de réfléchir autant que tu le fais en ce moment ?

– Non, mais il me semble que j'aurais eu plus de *fun* !

– Toujours à la recherche du plaisir instantané…

– Quoi? Tu ne vas pas me sortir le discours moralisateur du genre que le plaisir n'est pas tout dans la vie et blablabla? Je travaille comme un fou pour gagner ma vie. C'est bien normal que je pense à me la couler douce une fois de temps en temps!

– Bien sûr, mon ami. Tu es susceptible sur ce point!

– J'ai l'impression qu'il faut que je me batte quand je veux faire quelque chose pour moi. J'espérais que cette fois-ci, ce serait différent. J'avais tout misé sur cette compagnie, parce que j'étais certain de réussir. Et là, paf! Plus rien! Je perds tout ce que j'ai. Je ne vaux plus un rond. Cela a-t-il valu la peine de faire autant de sacrifices?

– Il y a très longtemps, les hommes offraient leurs sacrifices aux dieux dans le but de les apaiser ou d'obtenir des faveurs. Ils voulaient les acheter, les forcer à faire des choses contre leur volonté. Ils pensaient que leurs sacrifices étaient importants pour eux. Ça m'a toujours fait sourire. Et toi? À quel Dieu offrais-tu tes sacrifices?

– Tu as de drôles de questions, toi! Je ne faisais pas de sacrifices à un Dieu! Je faisais plutôt cela par amour pour ceux qui sont proches de moi.

– Donc, si tu le faisais vraiment par amour… pourquoi ai-je l'impression que tu avais des attentes? Ce n'est pas cela l'Amour. En fait, c'est ce que la plupart d'entre vous appelez l'amour avec un petit "a" :

L'amour conditionné. Vous devez recevoir afin de donner. Si vous ne recevez pas, vous ne donnez pas. Vous vous demandez continuellement s'il y a un retour. S'il n'y en a pas...

– Je vois ce que tu veux dire. C'est un peu comme un compte en banque, s'il n'est pas plein, je ne peux pas en donner. Si je passe mon temps à donner, sans recevoir, à un moment donné je n'ai plus assez. Il ne m'en reste plus.

– Tu commences à comprendre. Votre niveau d'enthousiasme baisse, et là il y a restriction. Vous vous retirez. C'est un mouvement double... comme le cœur : il pompe en deux temps, il pousse, puis il aspire. Comme tout ce qui existe. C'est le souffle, le mouvement de la Vie... Sauf qu'en Amour, ce mouvement peut prendre une autre tournure... »

Des images déferlaient à toute allure dans la tête de Christopher. Comme un éclair qui lui transperçait la tête. Il voyait des nombres, des chiffres, des millions qui dansaient. Entrant et sortant de son cœur. Il imaginait des centaines de transactions de dépôts et de retraits. Un ami lui téléphonait et lui demandait de ses nouvelles. Il sentait un dépôt de 100 000 $. Dans son compte de cœur. Puis, dans les phrases suivantes, ce même ami parlait en mal d'une autre personne qu'il aimait bien. Il voyait alors une sortie, un retrait, plus élevé que le dépôt qui venait tout juste d'être effectué au début de l'entretien.

«Tout ne peut pas tout de même être réduit en transactions financières...», dit Christopher incrédule devant les images qu'il avait vues.

– Que se passe-t-il lorsque tu entres en interaction avec une personne? Vous échangez des paroles, des pensées, des idées, des émotions. Vous vous donnez des conseils. Vous recevez l'autre chez vous. Il y a constamment des échanges. Dans un compte en banque c'est pareil. C'est ton esprit qui juge la situation et les mots que j'utilise en ce moment.

Christopher n'en revenait pas. Ça avait du sens! Malgré le fait qu'il s'agissait d'une élucubration fantastique, les faits donnaient raison à ce petit personnage joufflu! Il se souvenait de nombreuses disputes qu'il avait vécues avec ses copines et de la comptabilité mentale qu'il tenait envers tous les petits gestes qu'il posait. Oh! il les faisait bel et bien par amour... au début, mais par la suite, il remarquait s'il y trouvait son compte.

Il se souvenait des complaintes de sa mère qui lui rabâchait sans cesse les oreilles avec ses discours: «Après tout ce que j'ai fait pour ton père, regarde comment il me traite! Si j'avais su, je ne lui aurais pas abandonné la moitié de ma vie.»

Oui, le compte en banque du cœur expliquait bien des ennuis et des échecs dans les relations qu'il avait vues s'effondrer tout autour de lui au cours des dernières années. Mais comment expliquer que certains êtres ont tellement d'amour à donner ?

Il se souvenait d'une de ses clientes. Toujours débordante d'énergie. Toujours souriante. Un cœur sur deux jambes. Et pourtant... ses deux fils toxicomanes lui empruntaient souvent de l'argent. Lorsqu'elle venait le rencontrer, il ne sentait jamais chez elle de sentiment amer. Tout au plus une légère tristesse, mais beaucoup de compréhension et tellement d'amour.

Comment faisait-elle ? Comment réussissait-elle à regonfler son compte du cœur ? Il la savait seule. Et, à sa connaissance, les gens qui l'entouraient n'étaient pas du genre à effectuer des dépôts dans le cœur des gens... mais plutôt à se servir allègrement, comme si leur crédit était illimité.

« C'est parce qu'elle a un compte secret. Un compte auquel tous les humains ont accès, mais où il y a peu de "véritables transactions"... si on peut les appeler comme ça.

– De quoi parles-tu ?

– Du compte royal sacré de l'Amour inconditionnel. La seule manière d'y recevoir un dépôt est de donner sans attentes. Rien n'y entre... si rien n'en sort tout d'abord. C'est le contraire de la logique. C'est la logique de l'Amour. Son secret est bien gardé...

– Mais il y a des tas de gens qui donnent... et qui sont pauvres. Ils attendent encore le retour...

– Il ne faut avoir aucune attente ! L'Amour doit être purifié de toute attente, sinon le compte est contaminé et la transaction, le geste, tombe dans la première catégorie. Nul ne contrôle le genre de dépôts qui y est fait. Pour certains, ce sera l'abondance matérielle, pour d'autres ils trouveront l'amour de leur vie, pour d'autres encore, ce sera une paix profonde, solide, tranquille. Il leur sera rendu au centuple, au-delà de la justice ou de la perception des hommes. C'est un compte à intérêt très élevé !

– Ce que tu me dis là tient plus de la foi, de l'éveil.

– Vraiment ? Pourtant vos contes et vos légendes de toutes origines en sont remplis. Le geste, l'action doivent être faits pour eux-mêmes. Provenir de l'inspiration. Lorsque tu agis de manière inspirée, l'action que tu poses se fait facilement. Par contre, chaque fois que tu as l'impression d'agir contre ton gré, cela te pose un problème, cela te coûte. Ton énergie diminue. Tu donnes de toi-même. Ce coût, c'est quelqu'un ou quelque chose qui doit l'assumer. Si ce n'est pas l'Autre... c'est toi. Tu dois apprendre à écouter ton cœur, tes intuitions, et ne pas agir par peur du manque.

Christopher écoutait attentivement son interlocuteur, se disant à lui-même :

« *Tant qu'à être pris dans cette prison de béton, sans eau, sans nourriture et bientôt sans air, aussi bien faire mon introspection et poursuivre ce dialogue surréaliste…* », se dit-il. Et son petit cupidon continua :

« Qu'est-ce que l'équilibre, si ce n'est que la perception d'un plus et d'un moins qui se neutralisent. D'une part, lorsque tu es dans le positif, tu en perçois le déséquilibre en quelque sorte. C'est l'euphorie, l'enthousiasme, le positivisme à tout crin. D'autre part, lorsque tu es dans le négatif, tu perçois alors le déséquilibre du négatif : c'est la dépression, l'apathie, la tristesse, le négativisme éternel. Pour atteindre le point d'équilibre, ça ne veut pas dire qu'il n'y aura plus de positif trop intense ou de négatif qui fait mal, mais tu verras que ces deux parties se complètent. Ta perception changera tout. »

Comme c'était amusant ! Ce rondouillard personnage aux abords inoffensifs avait le tour de faire progresser notre ami dans sa démarche. C'était comme si ce dernier savait ou pressentait que les émotions de Christopher étaient à fleur de peau et qu'il valait mieux utiliser des exemples qui se rapprochaient des chiffres, de la comptabilité, de son rationnel afin qu'il saisisse mieux. Cupidon savait utiliser les mots et les images nécessaires pour que notre ami puisse poursuivre sa réflexion…

« Tu parles de négatif… et je me demande : Que peut-il bien m'arriver de pire maintenant ? que me reste-t-il à perdre ? J'ai l'impression d'avoir raté ma vie. Guylianne veut avoir un enfant et moi j'ai peur. Je me sens coupable que ça ne marche pas à ce niveau-là. Elle voudrait que je sois plus affectueux, plus amoureux, et ça ne vient pas naturellement. Au travail, je bosse comme un fou et je ne réussis pas à avancer aussi vite que je me l'étais promis. Mon salaire n'est pas ce que j'aimerais et en plus, j'ai fait des gaffes dans mes placements dernièrement, et j'ai tout gâché avec ma dernière décision. »

Christopher réalisait à quel point il avait une piètre estime de lui-même. Malgré toutes ses lectures, il était insatisfait de ce qu'il avait accompli, de ce qu'il était devenu. Il se sentait un minable en cravate.

« Comment peux-tu aimer vraiment, si tu ne t'aimes pas ? Comment peux-tu espérer convaincre ton cœur d'aimer une autre personne plus que tu ne t'aimes toi-même ? Tu ne penses même pas que tu mérites Guylianne ! Ton état ressemble à une entreprise Internet, une "point-com" comme vous les appelez, après l'effondrement de la bulle spéculative. Tu te croyais le roi du monde, et maintenant tu te crois un moins que rien. Pas surprenant que tu te tiennes près de la Bourse... vous vous ressemblez !

Christopher sourit. Tout d'abord, Cupidon lui sortait un exemple de compte du cœur, et là il lui servait une comparaison avec la Bourse. Décidément, ce petit être avait beaucoup d'imagination, il poursuivit :

«Tu te compares continuellement à un idéal inatteignable, Christopher. Tu cours après le temps, après la performance. Pose-toi cette question : Quel est le but de ta vie ? L'argent que tu accumuleras ? les diplômes que tu accrocheras ? ou les gens que tu aimeras et qui t'aimeront ?

– Les gens...

– Alors ? Qu'attends-tu pour remettre de l'ordre dans tes priorités ? Si tu es si dur envers toi-même, c'est qu'il y a une partie plus grande en toi qui sait... La douleur est souvent une grande source de sagesse...

– Je vais devenir très sage alors, car j'ai très mal...

– Je sais que tu as mal, Christopher. Sers-toi de cette douleur. Qu'elle soit ton guide vers de meilleures décisions, vers des valeurs qui te conviennent mieux. Prends-le temps de t'écouter. Tu ressentiras les effets du compte de l'amour inconditionnel lorsque tu poseras les bons gestes et que tu prononceras les bonnes paroles. Tu sentiras comme un courant d'énergie affluer en toi. Tu sentiras un dépôt qui sera fait en ton nom. Tu sauras que tu prends la bonne décision ou fais le bon geste... car tu ne te poseras pas de question. Tu seras dans l'ici et maintenant, dans l'action juste.

– Et pour ce qui est de mes erreurs passées ?

– Tu ne peux rien y changer. Ce qui est fait reste fait. Le seul pouvoir que tu as sur ton passé est de l'aimer. Aime ton passé. Aime-toi par la même occasion. Tout ce que tu as vécu et ce que tu as fait a contribué à te créer. Tu ne peux le juger, simplement l'apprécier. Tes intentions ont toujours été pures. Sois indulgent envers toi-même. Accepte ton passé, fais face à ton avenir, et écoute ce que te dit ton présent.

– J'ai tellement l'impression de ne pas avoir été à la hauteur. Je me sens coupable pour... la petite, j'avais peur qu'elle n'arrive trop tôt dans notre vie, et je crains que je ne l'ai fait s'enfuir...

– Les enfants aiment leurs parents pour toujours. Les parents aiment leurs enfants pour toujours. Ne tombe pas dans l'illusion du contraire, Christopher...»

Ce furent les dernières paroles que Christopher entendit...

Chapitre 19

Que s'est-il vraiment passé?

« Je crois qu'il se réveille... Christopher? Est-ce que tu m'entends?»

Christopher entendait, mais se sentait trop faible pour ouvrir les yeux et bouger les lèvres. Même la lumière tamisée de la chambre privée lui brûlait les yeux, tel un tison ardent. Que s'était-il passé? Que faisait-il allongé sur une civière à l'hôpital en ce lundi soir de février? Ne pouvant articuler aucune réponse sensée, Christopher se rendormit dans un profond sommeil. Il était exténué.

D'étranges images se succédaient dans son esprit. Il se revoyait coincé dans une pièce sans issue, sans lumière. Aussitôt, son cœur recommençait à battre la chamade et une infirmière accourait près de lui. Elle le calmait en lui parlant avec une voix douce et chaleureuse, tout en lui administrant une légère dose de médicaments afin qu'il puisse dormir et récupérer.

Christopher venait de passer les 64 dernières heures sans manger, ni boire, ni voir la lumière du jour. Même l'air qu'il avait respiré était vicié et ne contenait plus suffisamment d'oxygène pour le bon fonctionnement de son cerveau.

Joanne l'avait découvert inanimé le matin même en ouvrant les portes de la chambre forte, comme elle le faisait à chaque début de journée. Le coffre-fort était dans un fouillis indescriptible et personne ne comprenait ce qui s'était passé.

Elle s'était empressée de signaler le « 911 » et de rejoindre Guylianne afin que celle-ci accompagne son conjoint à l'hôpital le plus près. Guylianne était sans nouvelles de Christopher depuis vendredi. Réagissant au quart de tour, elle avait enfilé la première paire de bottes qu'elle ait trouvée, arraché littéralement les clés de sa voiture du crochet mural, et s'était précipitée au chevet de Christopher.

Douze heures s'étaient écoulées depuis son arrivée, et il était toujours dans un demi-coma. Contrairement à d'autres cas de traumatismes que les médecins avaient observés, Christopher riait, pleurait et parlait dans son sommeil. Il marmonnait des phrases incompréhensibles et il s'adressait à un interlocuteur visible seulement dans ses rêves.

« Ne t'en va pas ! s'écria soudain Christopher en se redressant sur son lit. Guylianne, bouche bée, le regardait.

– Qu'est-ce qui t'arrive, Chris ?

– Je ne sais pas… où suis-je ?

– Tu es à l'hôpital général. Tu nous as tous causé beaucoup d'angoisse. Est-ce que ça va maintenant ?

– J'ai mal à la tête, j'ai la nausée, je me sens étourdi. J'ai l'impression de tout avoir fait de travers, mais à part ça, on peut dire que ça va !

– Pourquoi Christopher ? Pourquoi ne m'avoir rien dit ? J'étais tellement morte d'inquiétude et en plus il y a des gens qui veulent te voir pour des choses que tu as faites vendredi…

– Vendredi… oui, la transaction. Elle n'est pas couverte. Je, heu, je vais m'en occuper, ou plutôt ce serait peut-être bien de demander à Jack de régler les détails. Je vais lui parler avant qu'il parte tantôt et tout va s'arranger, tu verras. »

Guylianne, les traits tirés par trois mauvaises nuits de sommeil, ne voulait pas contredire Christopher. Mais elle ne partageait vraiment pas le même optimisme que son conjoint.

Maude et Jack attendaient dans la pièce adjacente et ni l'un ni l'autre ne savait comment cette histoire se terminerait.

Chapitre 20

Première page

Le lundi même où Christopher était sorti de son cachot, une perquisition de grande envergure eut lieu dans six bureaux de comptables, avocats, courtiers et fonds communs de placement de Wall Street.

M. Timothy V. Cutler, alias William Greenfield, enquêteur en chef, avait réussi à percer à jour un réseau de trafic d'influence d'une ampleur sans précédent qui touchait des milliers de comptes et mettait en jeu des milliards de dollars, et dont l'origine remontait à Tom Carter. En effet, Tom avait été à la tête d'une prestigieuse firme de fonds communs de placement. Au début, il ne faisait qu'exécuter les transactions, puis il prit du galon et devint superviseur des opérations.

Par la suite, grâce à ses études, mais surtout à son instinct, il cogéra un petit fonds que sa société venait tout juste de créer. Il obtint un pourcentage des ventes et une quote-part sur les actifs sous gestion. Cela lui assurait un salaire décent et il menait la belle vie... mais il était ambitieux et il désirait plus.

Un jour, une demande lui fut faite. Elle changea sa vie. Il aurait pu la refuser et il se rendrait d'ailleurs compte un peu plus tard qu'il aurait dû la refuser... Un gros client de son institution lui demanda cette petite faveur. Oh, rien qui ne dérangerait vraiment les opérations de l'entreprise.

« Écoute, Tom. Ce n'est pas très compliqué. Tu as les sommes dans le compte provisoire de ton fonds et tu nous achètes les unités quelques heures plus tard, disons vers les 4 heures du matin. Et tu les revends le soir même. Notre argent entre et sort des fonds en quelques heures.

– Mais ce n'est pas légal... Si la SEC découvre ce stratagème, nous serons tous à la une des journaux et notre réputation à zéro.

– Je t'offre 25 % et si tu es trop gourmand, j'irai voir chez vos compétiteurs. Il y en a qui ont le goût de palper le vrai blé... »

Et c'est ainsi, après cette brève conversation, que Tom Carter accepta cette manœuvre qui fit de lui un homme très riche et puissant, car dorénavant il avait accès à la clique. Ceux qui font vraiment bouger les choses sur Wall Street.

Mais voilà que Timothy Cutler s'était infiltré dans son organisation et avait découvert le pot aux roses. Toutes les transactions suspectes effectuées sur les titres de Pro-Red Ltd, Blueswing de même que Vintage inc. seraient analysées à la loupe ainsi qu'une dizaine d'autres titres du même acabit. Des sanctions sévères flottaient, tel un « nuage d'ennuis », au-dessus de tous ceux qui étaient impliqués dans cette affaire.

La rumeur de cette nouvelle avait circulé dans le milieu, le vendredi précédent, et les gros joueurs avaient délesté leurs portefeuilles de centaines de milliers de titres, ce qui avait provoqué la forte chute du marché, et le malheur de Christopher qui n'était pas encore complètement entré dans la cour des « grands », malgré son accès à une information privilégiée...

* * *

Tom Carter tenait dans ses mains la toute dernière édition du *Journal* : « Drame et miracle sur Wall Street ! » pouvait-on y lire en première page.

« Ta photo est dans tous les journaux de la ville, mon cher Walker. Tu es désormais célèbre ! lui lança Carter visiblement choqué.

– Je suis désolé, M. Carter, répondit Christopher la mine basse.

– Tu m'as mis dans une position très délicate. La SEC m'a tendu un piège et notre firme est actuellement sous enquête. Ce Greenfield de malheur… j'aurais dû m'en douter aussi… ce sale fils de…

— Parlez-vous du Greenfield que j'ai rencontré ?

— Oui. C'était un des leurs. Il travaillait comme agent double et accumulait des preuves contre différentes firmes de courtiers. Il s'est servi de moi. Je lui revaudrai cela, ce sacripant. J'ai des relations et je connais quelques trucs… Il ne l'emportera pas au paradis, je te le promets.

— Que comptez-vous faire ?

— Ne t'inquiète pas pour moi. J'en ai vu d'autres et je me débrouillerai. En ce qui te concerne, compte tenu de ce qui vient de se passer… je préférerais que tu ne retouches pas à mes dossiers. Je vais laisser la poussière retomber un peu avant de savoir ce qu'on va faire de toi », lança Tom en se levant et en indiquant à Christopher que c'était la fin de leur entretien. Ce dernier se leva. Il savait ce qu'il lui restait à faire…

Chapitre 21

La vérité, s.v.p.

C'était humide. Venteux et humide. Le soleil était timide à se montrer. De temps à autre, il tentait bien une percée au travers les nuages gris et épais, mais ceux-ci ne desserraient pas les rangs et il n'avait d'autre choix que d'attendre.

Malgré ce temps que certains auraient qualifié de maussade, il y avait de la vie, de l'animation. Des amoureux se promenaient main dans la main. C'est toujours beau de voir des couples déambuler nonchalamment, prenant leur temps, échangeant des remarques sur des peccadilles, des détails, vivant des moments qu'ils qualifieront plus tard de capsules de bonheur.

Christopher et Guylianne étaient assis à un café ce matin-là et c'était humide... leurs yeux étaient humides... Ils venaient de mettre, bien malgré eux, leur appartement en vente afin de régler tous leurs comptes...

« J'ai tout fait rater.

– Je ne sais pas ce qui est pire : la réalité de la situation, ou le fait que tu m'aies menti pendant tout ce temps…

– Je ne voulais tellement pas t'inquiéter avec tout ça.

– Nous sommes un couple, Christopher. Nous devons partager ce qui nous arrive. Je ne te demande pas d'être parfait ou d'être un autre homme. Je veux que tu sois heureux et que je sache ce qui se passe. Si tu me caches des choses, penses-tu que je vais m'inquiéter encore plus ou moins ? J'ai besoin de faire le point. J'ai besoin de prendre l'air. Il y a eu beaucoup de nouveau, beaucoup de surprises et une surdose d'émotions pour moi dernièrement, alors il me faut m'éloigner de toi et de tout ça afin de comprendre ce qui nous arrive.

– Je comprends que tu aies ce besoin. Je crois sincèrement que c'est une bonne chose pour nous. Ça te permettra d'analyser la situation, de prendre une certaine distance et de me laisser le temps de tout régler cela. Je sais ce que j'ai fait. Je comprends pourquoi je l'ai fait. Je reniais d'où je viens, et j'enviais d'où tu viens. J'étais séparé en deux. J'aimais une partie de moi et je détestais l'autre. Je te l'ai dit, je ne sais pas tout ce qui s'est passé dans ce coffre-fort, mais je me sens différent. C'est un peu comme si j'avais de nouveaux yeux.

– Je l'espère pour toi. Je sais que tu as plein de capacités. Pour ce qui est de moi, je ne peux pas te donner de réponse, Christopher. Mais pense à ce que tu veux pour toi et oublie-moi pour un instant. Que veux-tu vraiment? Veux-tu d'une femme artiste? Veux-tu de la vie que nous avons en ce moment?

– J'ai déjà ma réponse à ce sujet… laissons-nous le temps, Guyl. Laissons-nous du temps…

*   *   *

Quelques heures plus tard, Guylianne emménageait chez Maude, pour quelque temps…

« Je ne sais plus où j'en suis. Vraiment plus, c'est allé trop loin. Je n'en peux plus. Comment puis-je lui faire confiance maintenant? Il trouve toujours une excuse. Et notre situation est désastreuse. Je l'aime, mais là je suis à bout de souffle.

– C'est vrai que c'est assez énorme comme situation.

– Je lui faisais confiance même pour nos finances. Si tu voyais le topo! On est presque en faillite. Tu te rends compte?

– Qu'est-ce qu'il t'a donné comme explication?

– Tu le connais. Il m'a sorti tout un charabia concernant des transactions avec des options sur actions, et des marges, et tout ça. Mais je n'y comprends rien moi à tout ça! C'est pour cela que je lui faisais confiance. Il m'a bel et bien roulée.

– Tu crois qu'il l'a fait exprès?

– Qu'est-ce que tu veux dire? Tu le défends maintenant?

– Non, mais je te demande si tu crois qu'il était dans son intention initiale de te rouler.

– Non, je ne le crois pas. Je crois qu'il était sincère. Con, mais sincère!

– Tu es si dure avec lui. Surtout après ce qu'il vient de subir.

– Je sais, c'est pour cela que je t'en parle. Je ne peux pas tout lui balancer cela en plein visage. Je le démolirais. Je souris et je compatis avec lui, mais en dedans je rage et j'aurais le goût de tout foutre en l'air. Moi qui voulais qu'il soit plus souvent avec moi, il est maintenant à la maison vingt-quatre heures sur vingt-quatre, et je n'en peux plus!

– C'est difficile d'avoir parfaitement ce que l'on veut tout le temps, hum?

– Je sais. Ce n'est pas facile. Mais je me sens comme une bombe à retardement en dedans de moi. J'ai tellement d'amour à donner et je n'ai pas d'enfants. Bon, je réussis à sculpter enfin un visage d'ange merveilleux sur mes chérubins et je me sens mieux. Mais, tout compte fait, rien n'a vraiment changé. Nous ne sommes pas dans un roman quand même!

– Parlant de ta sculpture, j'ai rencontré Gustave tout à l'heure. Il est renversé. Il veut en faire reproduire une centaine tout de suite. Il m'a demandé si tu avais une inscription ou un titre que tu aurais aimé lui donner.

– J'ai le goût d'inscrire la phrase qui est venue avec son visage lorsqu'elle m'a parlé.

– Celle qui parle des enfants et des parents?

– Oui

– C'était quoi déjà cette phrase? Je sais que tu étais bouleversée lorsque tu me l'as dite au téléphone, mais je ne l'ai pas prise en note.

– Je l'ai toujours sur moi, lui dit Guylianne tout en fouillant dans son sac à main et en tirant un morceau de papier tout froissé

– Les enfants aiment leurs parents pour toujours. Les parents aiment leurs enfants pour toujours.» Guylianne et Maude se regardèrent et leurs yeux s'embrumèrent. Puis, l'œil espiègle de Maude scintilla:

«J'ai une idée! Et si tu prenais du recul, des vacances?

– Pour aller où? Je suis fauchée comme un clou!

– Où les enfants vont-ils lorsqu'ils n'ont plus nulle part où aller?»

Chapitre 22

Ils sont toujours là

Nerveuse, Guylianne attendait au café de l'aéroport. Elle n'avait pas vu ses parents depuis son union avec Christopher. Cinq années déjà s'étaient écoulées depuis leur dernière rencontre. Se retrouver ainsi devant eux en se rappelant tous leurs avertissements était pour elle un constat d'échec lamentable. Elle ne savait que leur dire. Elle ne savait que penser. Tout ce qu'elle sentait c'est que sa mère l'aimait.

Elle savait que, malgré les apparences et les esclandres, elle l'aimerait toujours et serait là pour elle. C'est ce qu'elle aurait fait pour ses enfants si la Vie lui en avait donné l'opportunité.

L'attente devenait insupportable. Les minutes lui semblaient des heures. Finalement ils apparurent. Aucun mot ne fut échangé.

* * *

« Ton père s'est fait beaucoup de soucis pour toi.

– J'aimerais qu'il me le dise de temps en temps au lieu de passer par toi.

– Tu sais qu'il a toujours eu de la difficulté à exprimer ses sentiments. Je ne crois pas que ni toi ni moi arrivions à le faire changer du jour au lendemain... Raconte-moi donc ce qui se passe exactement. »

Guylianne et sa mère savouraient le thé vert à la menthe, la boisson officielle du matin en Tunisie. Ses parents venaient y passer quelque temps l'hiver à bord de leur voilier très confortable. C'était un catamaran construit sur mesure pour eux et rien n'y manquait. Salle de bain complète avec baignoire à remous, etc. Tout était fabriqué à partir de matériaux nobles : marbre, acajou, or 18 carats, cachemire...

Toutes les deux se retrouvaient donc enfin, après toutes ces années à s'être campées dans leurs positions respectives. Voilà qu'un événement, une crise les précipitait l'une vers l'autre. Guylianne tenta de tout lui raconter depuis le début : les efforts de Christopher, ses études, son travail jusqu'à tard le soir, sa soif de réussir, de ne pas la décevoir, de lui apporter tout le confort matériel nécessaire.

Elle raconta ses récents changements d'attitude, ses sautes d'humeur et finalement, sa toute dernière mésaventure dans la chambre forte de sa compagnie.

À quel point il était venu près d'y laisser sa peau. Aussi à quel point cette bourde monumentale les avait placés dans une situation tout à fait critique.

Lorsque tout avait éclaté, elle s'était précipitée à son chevet, ayant eu peur de le perdre. Mais maintenant que la poussière était retombée, elle était perplexe, se demandait que penser. Était-ce cela, l'amour?

« Qui peut dire ce qu'est l'amour ? Je peux te dire ce qu'il n'est pas… mais ce qu'il est ? Et maintenant, tu comptes faire quoi ?

– Je ne sais pas, maman. Je suis venue ici en espérant faire le point. Prendre du recul. Me faire une idée. Je croyais qu'en m'éloignant de lui, je l'oublierais…

– Et ?…

– Je pense à lui à chaque instant. Je lui en veux de ne m'avoir rien dit. Je suis déçue qu'il m'ait caché tant de choses. En même temps je sais qu'il voulait me protéger, il voulait encaisser tous les coups afin que je n'aie pas de soucis. Mais c'est raté…

– Tu es fâchée parce qu'il te pensait faible ?

– Je crois que c'est ça. C'est comme s'il me prenait pour une petite fille pas assez grande pour prendre ses responsabilités…

– Comme ton père l'a fait avec toi… »

Sur cette remarque, Guylianne s'arrêta net. Paf! Droit au but, maman! Les mères sont perspicaces... Comme son père l'avait fait avec elle en la punissant, en la déshéritant, en ne lui parlant plus parce qu'elle avait choisi une autre route que celle qu'il avait tracée pour elle.

Comme elle s'était sentie une petite fille cette journée-là. Comme elle aurait voulu qu'il lui fasse confiance, qu'il lui dise qu'elle pouvait faire selon sa tête et son cœur, qu'il avait pleine confiance en elle.

« Prends ta place, Guylianne. Tu as un énorme talent. N'aie pas peur de t'imposer. Il y aura toujours des gens pour te confronter. Ils font partie de la vie. Ils sont des tests sur ta route. Il a fallu que tu sois solide pour prendre la décision que tu as prise.

– Tête en l'air! Mais solide!

– Papa! »

Le père de Guylianne arrivait du pont supérieur. Il avait positionné le cap et mit son énorme voilier en pilotage automatique et il en profitait pour faire un brin de conversation. Il était de nature forte et autoritaire et n'était pas porté sur l'expression des sentiments humains, mais cette journée-là, ce moment-là... même sa carapace d'homme fier et indépendant, même son rôle de père modèle et fort, même son rôle de celui qui ne se trompe jamais... tout ceci fondait devant la présence tant attendue de sa fille.

« Si tu étais un voilier, je n'hésiterais pas à faire la traversée de l'Atlantique... mais avant je me serais assuré de verrouiller ton gouvernail afin que tu gardes le cap !

– Henri ! Tu m'avais promis de ne pas être cynique ou critique !

– Mais je viens de lui lancer le plus beau des compliments qu'elle ait reçus en cinq ans !

– Et tu le lui fais payer par une remarque blessante à la fin... Rien n'est gratuit avec toi...

– C'est à ton tour de m'attaquer puis-je te faire remarquer !

– S'il vous plaît, vous deux ! Ça suffit ! Ha ! vos disputes incessantes pour tout et pour rien ! Je ne me serai pas ennuyée de ça... c'est certain ! leur lança Guylianne d'un air faussement choqué. Cette escalade de mots avait plutôt ravivé ses plus beaux souvenirs d'enfance qui lui remontaient à la mémoire. Ses parents s'obstinaient pendant de longs moments sur tel ou tel candidat à la présidence, sur telle ou telle politique étrangère de leur gouvernement, ou sur telle ou telle approche à adopter quant à l'éducation de leur Guylianne.

Guerre et paix. Calme et agitation. Le tout réunit au sein d'un couple d'êtres rares qui s'aimaient et ne tentaient pas d'assimiler l'autre.

« Je me suis ennuyée de vous.

– Et pourquoi donc? Tu n'as pas d'amis à New York? lui lança son père d'un air désinvolte.

– Bien sûr que si, mais vous êtes... spéciaux pour moi.

– Et il fallait que tu t'éloignes de nous pour t'en rendre compte, n'est-ce pas?

– Je pense que oui... »

Le père de Guylianne sentait tout le poids que sa décision et ses éclats avaient fait peser sur leur relation. Il était fier et orgueilleux et détestait admettre qu'il s'était trompé. Sa fille unique était ce qu'il avait de plus précieux, et il avait détesté la voir partir avec ce jeune, même pas courtier, ce jeune assistant sans noblesse familiale, sans argent et à l'allure un peu trop normale. Ce n'est pas ce qu'il souhaitait pour sa fille... Aussi, lorsqu'il l'avait entendue au bout du fil, était-il dans tous ses états... mais jamais il ne lui dit, ni ne lui démontra... pourtant...

« Alors, c'est quoi ton problème qui est si gros que tu ne peux pas le résoudre par toi-même. Ton mec s'enferme un week-end dans un coffre-fort, il ne t'en parle pas et ça te fâche!? Au moins il ne t'a pas trompé! Il n'y avait personne là-dedans! » lui lança son père en regardant pour la ixième fois la photo de Christopher à la une du *Wall Street Journal*.

– C'est plus compliqué que cela. Il m'a menti sur des transactions boursières et maintenant nous sommes presque à la rue. Je suis très fâchée et très déçue, et je ne sais plus quoi faire.

— Je vais t'aider à prendre ta décision, moi. Tu laisses ce plouc sur-le-champ et tes ennuis financiers sont réglés. Qu'est-ce que tu dis de cela comme solution! Je te trouve un bel appartement, tu y déménages et tu prends ton temps cette fois pour retomber sur tes pattes. »

Guylianne resta de glace. Elle s'attendait à une tentative de son père «afin qu'elle reprenne enfin ses sens», mais jamais de manière aussi directe et aussi peu subtile.

«Henri! Tu es brutal! Comment oses-tu la mettre encore dans une position aussi embarrassante? Je ne te trouve pas drôle.

— Laisse, maman. Je dois apprendre à lui faire face une bonne fois pour toutes et je crois qu'aujourd'hui, c'est le moment.

— Me faire face? Mais je ne t'ai jamais tourné le dos! Je ne fais que t'offrir des choix, des possibilités, d'autres avenues plus intéressantes.

— Justement, papa. Ce sont TES avenues, TES choix et TA vision. Je les respecte, car elles sont toi. Mais elles ne sont pas moi. Je ne suis pas à vendre, et je ne me vois pas choisir TON argent en lieu et place de Christopher. Je suis déçue et blessée, c'est vrai. Mais il a voulu me protéger. Si j'avais été vraiment forte, il n'aurait pas senti le besoin de me protéger. Je crois que j'ai joué le jeu avec lui. Nous avons dansé une valse à deux temps. Et plus je t'écoute et que je me souviens de mon passé, plus je comprends pourquoi. Tu es un homme génial, papa. Je t'aime énormément, mais je me suis tellement sentie protégée par maman et toi, que je ne savais pas si je pourrais affronter le monde seule.

« Lorsque Christopher s'est enfermé, je me suis retrouvée complètement seule. C'était la première fois de ma vie que ça m'arrivait, mais j'ai perçu une force en moi. Elle a jailli du plus profond de qui je suis et j'ai fait des appels téléphoniques, j'ai fait de la méditation, j'ai fait le tour des hôpitaux et j'ai su en dedans de moi que je pouvais réagir très bien aux situations.

« Je n'ai plus le goût d'être une victime et je n'ai plus envie que quelqu'un me protège. Je suis une femme à part entière. Merci pour ton offre si généreuse, mais je préfère vivre ma vie en pauvre et me sentir riche intérieurement, qu'en riche, mais pauvre intérieurement. Sans toutefois vouloir t'offenser, papa. »

Guylianne avait lancé sa dernière intervention en regardant son père droit dans les yeux, marquant ces points en les accentuant de mouvements de la tête. Elle parlait de tout son cœur et avec tout son corps, de tout son être. Elle se sentait forte et enfin pouvait parler d'égale à égal à son père.

Celui-ci, stupéfait mais comblé, n'en croyait pas ses yeux mais il était pour le moins ébloui par sa fille. Incapable de prononcer un seul mot, il l'enveloppa de ses bras puissants et lui donna de tendres baisers sur ses cheveux, son front et ses joues. «Mon petit bébé... je t'aime tant, lui murmura-t-il à l'oreille. Tu as raison. Je sais que tu as raison. Merci de m'apprendre... encore.» Il la regarda dans les yeux, ayant peine à la voir, tant ils étaient pleins de larmes.

Chapitre 23

Le calme après la tempête

Ce soir-là, il fit une très longue marche. Lorsqu'il entra, il se dirigea directement vers le lit que Jack lui avait aménagé. Shiva était couchée sur l'oreiller de Guylianne et le regardait attentivement, comme pour lui dire : « J'attends qu'elle revienne, est-ce que tu sais quand elle va revenir ? »

Il lui répondit : « Je ne sais pas si ta maîtresse va revenir, Shiva. Je ne sais vraiment pas. Mais ce que je sais c'est que nous l'aimons toi et moi, n'est-ce pas ? Nous... Je l'aime du plus profond de mon cœur... »

Il tentait tour à tour de se visualiser avec elle ou sans elle. Par la suite, il explorait comment il se sentait. Était-il, ou serait-il amoindri si elle le quittait ? Valait-il mieux qu'il reste ? Avait-il fait de si grosses gaffes ? Après tout, jamais il n'avait eu l'intention de lui infliger quelque souffrance, bien au contraire !

Ce n'est pas facile de se juger à travers le regard d'autrui. À vrai dire, c'est impossible. Et c'est ce que Christopher comprenait. Personne ne pouvait et ne pourrait jamais vraiment comprendre ce qu'il avait vécu, les sentiments et les motivations qui l'animaient.

Il sentait une chose cependant : aujourd'hui il était une meilleure personne qu'hier. S'il y avait au moins un élément bénéfique que son séjour dans la chambre forte lui avait appris, c'était bien celui-là. Il ne pouvait expliquer, ni même divulguer l'entièreté de son étrange... rencontre, mais il ressentait son impact, concrètement.

Il enterrait la hache de guerre envers lui-même.

*   *   *

Il marchait en titubant comme s'il était ivre. Christopher se trouvait drôle ! Suite à son incident du coffre-fort, il avait développé une neuronite vestibulaire ou plus communément, une labyrinthite. Il avait donc extrêmement souffert d'étourdissements à sa sortie, mais depuis, même s'il était rétabli, il lui arrivait encore d'avoir des vertiges dans les endroits publics, plus particulièrement les lieux comportant de hauts plafonds et des motifs rectilignes sur les planchers.

L'immeuble de la SEC était immense et l'entrée de son siège social impressionnait. Il était nerveux. Il prit l'ascenseur et appuya sur le 42. En un clin d'œil, il fut rendu. «*C'est plus rapide que le vieux dinosaure qu'on utilise au bureau*», se fit-il comme réflexion. Suivant les indications précises qui lui avaient été remises par M. Cutler, il trouva finalement son bureau tout au bout d'un corridor de bureaux à paravents. «*L'univers de Dilbert*», sourit-il, faisant allusion à une célèbre bande dessinée américaine reconnue pour son humour acidulé concernant les misères de la vie de bureau *à cloisons*. «Ah! bonjour, monsieur Walker! Content de vous voir ce matin! lui lança Timothy Cutler tout de go arrivant avec une tasse dans chaque main. «Lait, sucre? J'ai tout ce qu'il vous faut, mais asseyez-vous d'abord.»

La chaleur humaine qui émanait de cet homme étrange surprit Christopher. Il ne s'attendait pas à être reçu de cette manière.

Ayant déambulé dans les corridors, puis en passant par l'ascenseur, il sentit de nouveau ses étourdissements le reprendre, aussi ne se fit-il pas prier pour s'asseoir, même qu'il faillit presque tomber aux côtés du fauteuil de cuir que lui présentait M. Cutler.

«Toujours ces étourdissements, n'est-ce pas? s'enquit-il avec empathie, se souvenant de leur dernière rencontre à l'hôpital.

– Oui, en effet. Ils s'en vont et s'estompent, mais lorsque je fais trop d'efforts, ou que je suis hyperstimulé par l'environnement qui bouge, je perds un peu le contrôle.

– On dirait que vous me racontez ce qui se passe sur Wall Street en ce moment, Chris. Vous permettez que je vous appelle, Chris ? Après tout vous avez presque été mon courtier !

– Bien sûr, monsieur Greenfield... euh, je veux dire monsieur Cutler !

– Ouais, c'est vrai ! Je me faisais appeler Greenfield à votre bureau. Je l'aimais bien ce personnage... il va me manquer ! Mais revenons au but de notre rencontre : votre emploi chez nous. Quelles sont vos motivations à passer "de l'autre côté" ?

– J'ai beaucoup repensé à ce qui me faisait le plus plaisir dans mon travail. Et je me suis rendu compte que c'est la protection des épargnes des gens. J'ai en moi ce désir de protéger leurs avoirs en toute justice. Je croyais le milieu de la finance plus... éthique que ce que j'y ai rencontré. Je ne dis pas que tous les courtiers ne sont pas corrects, mais j'aimerais contribuer à faire appliquer les lois et à percer à jour ceux qui profitent du système, et surtout qui profitent des investisseurs. Disons que je suis bien placé pour comprendre les enjeux...

– En effet, je crois que votre qualification ne fait aucun doute et votre motivation semble juste, mon jeune ami. Quel drôle de retour des choses, vous ne trouvez pas ! Et votre candidature tombe à point nommé : Nous cherchons du personnel et ce n'est pas facile de recruter avec tous les salaires qui se paient sur Wall Street.

« De plus, votre histoire a fait couler beaucoup d'encre et a suscité énormément de réactions. L'image d'un courtier de la *Street* qui se fait prendre dans un coffre-fort est assez emblématique de la réalité d'aujourd'hui. Que vous le vouliez ou non, vous avez acquis une certaine notoriété et nous croyons que le message que vous pourriez porter en vous joignant à notre cause sera positif. Vous voyez ? Tout le monde y gagne. »

Christopher bombarda Timothy de questions pendant plus de deux heures. Lorsqu'il redescendit les 42 étages, il regardait le mur devant lui, la bouche ouverte, un peu béat. Il avait en sa possession une offre d'emploi en bonne et due forme. On lui proposait de travailler pour la SEC pour débusquer les gros méchants de l'industrie financière. Choc. Paradoxe. S'il acceptait, il serait de l'autre côté. Il deviendrait celui que tout le monde veut éviter, un agent de mauvaises nouvelles. Il sourit.

Chapitre 24

Le coup parfait

Ils marchaient en direction du trou n° 9. Ce serait bien assez pour cette première journée de golf printanier. Christopher sentait qu'il reprenait pied. Il prit son bois d'allée préféré, un n° 4 fait à la main par l'ami d'un ami, et il frappa sa balle.

Tout juste avant, il avait fait le vide dans son esprit. Il avait réussi en contrôlant sa respiration à devenir présent à son jeu, son bâton et sa balle qu'il désirait envoyer le plus loin possible. Il avait exécuté un mouvement fluide de manière si naturelle qu'aucun effort n'avait vraiment été nécessaire.

Il y a un feeling étrange de plénitude qui survient lorsque l'on frappe le coup parfait. Vous ne sentez pas le contact avec la balle, celle-ci s'envole haut et loin dans les airs, directement vers le petit drapeau qui indique l'objectif.

Christopher avait frappé ce genre de coup au trou n° 9. La balle s'était arrêtée à quelques centimètres seulement du fanion. Il se sentit bien.

« Je me sens changé sans vraiment comprendre ce qui s'est passé exactement. C'est dur de te raconter ça, Jack.

— En tout cas, t'as un de ces airs ! Et tu frappes droit… je ne pourrai plus te suivre si tu continues de jouer de cette façon !

— Il s'est produit quelque chose là-dedans. J'ai peut-être perdu les pédales, manqué d'oxygène ou d'eau, mais il s'est produit un événement, et je ne peux pas le nier. C'est trop fort, mais en même temps, c'est fou… et ça me fait peur… non pas peur… c'est drôle… ce n'est pas, ce n'est PLUS de la peur, c'est simplement étrange, nouveau, différent. Je n'ai plus de point de référence… mais quand j'ai prononcé le mot « peur », ça ne cadrait pas avec…

— Là, c'est moi qui commence à avoir peur ! Je te connais depuis un moment déjà et je ne t'ai JAMAIS vu comme ça ! Je sais que tu ne consommes pas de drogue, qu'il est 11 h 30 et que tu n'as pas pris de vin ou de bière… mais je ne sais pas… t'as l'air d'avoir 50 kg de moins sur tes épaules, ton examen de CFA est en révision, et tu commences un nouveau boulot avec un salaire… Le Christopher que je connais serait abattu ! Et je ne te parle pas de Guylianne !

– Tu as raison ! Moi-même je ne reconnais plus mes réactions. Mais c'est comme si tout se mettait en place. Je ne faisais pas ce travail pour les bonnes raisons. Je tentais. Je voulais m'y plaire à tout prix. Mais j'étais en train de tout perdre de vue et de devenir esclave d'une machine infernale.

– Tu parles de ton futur ex-patron, Tom Carter, là ?

– De lui, mais aussi de tout ce système de prises de profits rapides et de ce je-m'en-foutisme absolu.

– Sais-tu quoi ?

– Quoi, Jack ?

– Tu devrais lancer une firme de consultation. Et ce que tu fais, c'est que tu enfermes ceux qui ont des problèmes dans un coffre-fort pour un week-end et tu exiges, je ne sais pas moi, 800 $, puis tu leur dis qu'une petite créature va leur apparaître et qu'ils verront la Vie d'une meilleure façon par la suite. Bien entendu ils sortiront de cette chambre forte sur une civière et ils en auront pour plusieurs semaines à marcher en titubant, mais bon, ce n'est pas cher payé pour régler tous ses problèmes !

– Ce que tu peux être con quand tu t'y mets, toi ! »

Chapitre 25

Réflexions à 12 000 mètres d'altitude

« **N**ous volons actuellement à 12 000 mètres d'altitude. Nous survolons l'île de Terre-Neuve. Nous serons arrivés à destination dans 2 h 45 minutes. » Ce message du pilote avait réveillé Guylianne. Elle était épuisée, la pauvre. Tellement d'émotions en si peu de temps.

Tout d'abord sa mère qui lui avait révélé une partie cachée de son enfance, elle sut dès lors qu'elle devait s'ouvrir encore plus à son talent d'artiste. C'était écrit depuis belle lurette, mais elle l'avait toujours nié. Elle s'était toujours mentie à elle-même… exactement ce qu'elle reprochait à son Christopher…

Puis il y avait eu cet élan de générosité de son père. Guylianne avait compris qu'elle demandait à l'autre de constamment la rassurer, car elle-même était anxieuse.

Lorsque sa mère l'avait finalement convaincue d'avoir une conversation à cœur ouvert avec son père, bien des pans de sa légende personnelle s'étaient éclaircis.

La Vie nous réserve toujours des défis, mais Guylianne était descendue loin dans son cœur et sa conscience lorsque son père lui avait offert tout son soutien matériel si elle décidait de quitter son courtier minus de Wall Street. Lorsqu'il l'avait ainsi confronté et lui avait proposé son appui en échange de son amour, elle avait de nouveau refusé. Son cœur n'était pas à vendre. Cette deuxième décision s'était imposée à elle avec une force toute nouvelle de sa part.

La partie suivante devient extrêmement intéressante. Lorsque son père vit qu'elle aimait encore son Christopher après tous les récents événements, il décida de l'aider quand même.

Tout un revirement de situation. « Pourvu que Christopher soit encore là à mon retour. Pourvu que je n'aie pas tout gâché.

– Tu n'as pas tout gâché. Tu as provoqué des événements. Tu as voulu aimer. Tu aimes aimer. Tu aimes à ta manière. Ne sois pas toujours si dure envers toi... », lui murmurait une petite voix à l'intérieur d'elle.

Guylianne était anxieuse. Elle ne savait pas sur quel pied danser. Il y avait tellement de nouveau dans sa vie. Elle avait beaucoup cheminé au cours des dernières semaines. Elle ne saurait par où commencer lorsqu'elle reprendrait contact avec Christopher.

Elle qui se croyait orpheline. Elle qui se croyait sans ressources. Elle qui se croyait sans talent. Maintenant elle se sentait prête à affronter, non, à mordre encore plus à belles dents dans la Vie.

Son amoureux, serait-il au rendez-vous? Aurait-il survécu aux dernières blessures? Dans quel état serait-il lors de son atterrissage? Pourrait-il la comprendre, l'accepter telle qu'elle était? Serait-il capable de vraiment se sentir bien auprès d'elle?

À 12 000 mètres d'altitude et avançant à 900 km/heure, les questions se succédaient rapidement dans son esprit. Elle éprouvait une certaine paix. Elle sentait que quelque chose ou quelqu'un veillait sur sa destinée, sur leur destinée.

Elle avait le goût d'y croire, elle avait le goût d'aimer.

Aujourd'hui est une belle journée...

La chaise haute était rangée dans le débarras et Christopher s'évertuait à vouloir la sortir malgré tout le fouillis.

« Chris, tu arrives bientôt ? La partie commence dans quelques minutes seulement... et tu ne veux pas manquer le botté d'envoi qui va expédier ton équipe en vacances, dis-moi ? lui envoya Jack du salon où il était bien installé.

– Dès que je réussis à extirper ce siège d'ici, je vais te retrouver, Jack », lui répondit Christopher toujours amusé par son vieil ami.

– Veux-tu que j'aille t'aider, chéri ? » lui lança Guylianne de l'autre bout de l'appartement, coupant sa conversation avec Maude.

– Ça va aller, je vais m'en sortir comme un grand. C'est pas plus vaste qu'un coffre-fort cette pièce, alors je m'y retrouve facilement ! »

Cette journée-là était une belle journée... et les autres qui suivraient se ressembleraient sans aucun doute.

Christopher souriait, reconnaissant de cette belle journée. Il était entouré de ceux qu'il aimait. Il entrevoyait son avenir avec enthousiasme. Lorsqu'il repensait à son passé, à toutes ses décisions et à toutes ses actions, il ne se jugeait plus. Quelque chose de spécial s'était produit en cette fin de semaine de février, un événement qu'il n'était pas prêt d'oublier. Cupidon avait frappé à Wall Street, et c'est de la Vie dont Christopher était tombé amoureux.